文豪の愛した猫

開発社 編著

イースト新書Q
Q075

はじめに

猫を愛し愛された文豪たちのエピソード集

猫を愛する文豪は多い。そして猫に愛される文豪もまた多いもの。

神経衰弱に悩まされた夏目漱石は、飼い猫をモデルに書いたはじめての連載小説で、人生がガラリと好転した。劇的に散った三島由紀夫は、捨て猫を放っておけないほどの繊細すぎる素顔が明らかになった。生涯500匹の猫たちと暮らした大佛次郎は、世界中の愛猫家たちの羨望の的となっている。

猫と深い関わりを持っていたのは、なにも日本の文豪ばかりではない。

ボードレールは、恋人を彷彿とさせる美しい猫に恍惚となった。そして、愛猫を謳ったその詩は、美しさゆえに谷崎潤一郎をはじめ、多くの愛猫家を生み出すに至った。

T・S・エリオットが描いた猫たちは、今やエンターテインメント界きっての人気者だ。作家の死後、ミュージカルという土壌で生まれ変わり、彼の知名度を現在進行形で拡大させている。

このように、猫を愛する文豪たちの多くが、愛猫たちによって様々な恩恵を受けているのだが、では文豪たちはいかにして人生さえも左右する愛猫と出会い、どのように愛し、いかにして別れを惜しんだのだろうか。多くの名作を残した文豪たちの素顔を、愛猫と結んだ「絆の物語」から迫っていこうとするのが本書である。

各文豪共通して、前半部分は文豪と猫とのエピソードを中心に、続く後半では、猫を扱った作品の紹介を交えながら猫との深い結びつきに迫っていく。

第1章では日本の文豪、第2章では海外の文豪、第3章では猫文学の名作を紹介していく。

本書を通じて文豪たちの知られざる素顔に触れ、まだまだ眠ったままの猫の名著に親しむきっかけとなれば何よりの幸いである。

文豪の愛した猫●目次

第2章 海外の文豪と猫

第3章　猫の名作案内

第1章
日本の文豪と猫

世界に知られる歴史的猫文学を残した

夏目漱石《なつめそうせき》

生没年月日

1867（慶応3）年1月5日〜
1916（大正5）年12月9日

出身地

武蔵国江戸牛込馬場下横町
（現・東京都新宿区喜久井町）

代表作

『吾輩は猫である』
『坊ちゃん』
『こころ』

プロフィール

江戸牛込馬場下横町の名主の五男として誕生。東京帝国大学英文学科卒業後は、愛媛県尋常中学校の英語科教師として赴任。英国留学ののち、高浜虚子の勧めで小説を執筆し作家としての地位を得る。芥川龍之介など多くの門下生を持つ。

押しかけ猫が神経衰弱のカンフル剤になった

日本文学界を代表する文豪・夏目漱石の誕生の裏には、1匹の猫の存在があったという事実は、あまりに有名である。

「吾輩は猫である。名前はまだない」の冒頭文で知られる『吾輩は猫である』は、1905（明治38）年1月から翌年7月まで『ホトトギス』に連載された漱石の出世作だ。

作家になる前の漱石は、繰り返し発症する神経衰弱に悩まされており、いきなり癇癪をおこしては倒れ、教師の仕事についていたものの家計は崩壊寸前だったという。

そんな惨状を破るきっかけになったのが、夏目家に住み着いた一匹の黒い猫だった。親友の高浜虚子《たかはまきょし》から「神経衰弱の治療の一環に」と小説の執筆を勧められると、漱石はその飼い猫を主人公にした物語を書きはじめた。妻の鏡子の口述書『漱石の思い出』によると、漱石は書きはじめると一気呵成《いっきかせい》。「書いているのを見ているといかにも楽しそうで、夜なんぞもいちばんおそくて十二時、一時ごろで、たいがいは学校から帰ってきて、夕食前後十時ごろまでに苦もなく書いてしまうありさまでした」と明かす。こうして、文豪・夏目漱石は「猫」とともに生まれた。

では、漱石は、愛猫家だったのかといえばそうではなかったようだ。小説の通り、飼い猫に名前さえつけていなかった。

この黒い猫は1904（明治37）年の夏のはじめごろ、どこからともなく家の中に入ってきたという。まだ生まれたてとみえ、鏡子に何度つまみ出されても「にゃん」と声を上げて舞い

猫のために建てた供養塔（提供：新宿歴史博物館）

戻り、足にじゃれついてきた。無邪気ゆえに、子どもにちょっかいを出したり、ご飯のお櫃《ひつ》に上がっていたりとやりたい放題。「腹が立つやら、根負けがするやら」だったと鏡子は語る。ついに遠くに捨てにいこうかと鏡子が考えていた矢先、おはちの上にいい具合にうずくまっていた猫を見た漱石が「そんなに入って来るんならおいてやったらいいじゃないか」と鶴の一声を上げ、飼い猫に収まったのだった。

その後、夏目家には新たな光景が生まれたことを鏡子は呆れ半分に明かす。朝、漱石は腹這いになって座敷に横たわり、背中に猫を乗せたまま新聞を読みふけっていたという。

どこからともなくやってきた黒い猫の正体は福猫だった

漱石は猫を放任した。それをいいことに猫の方は「いっそうふざけ散らして」家族を困らせたらしい。猫嫌いな鏡子は容赦することなく、いたずらが過ぎればご飯抜きのお仕置きも辞さなかったそうだ。

ところが、年老いた女中に「奥様、この猫は全身足の爪まで黒うございますが、これは福猫でございますよ。飼っておおきになるときっとお家が繁盛いたします」と、教えられると、妻の待遇は一変したという。やがて、猫は本当に福猫たるご利益をもたらした。漱

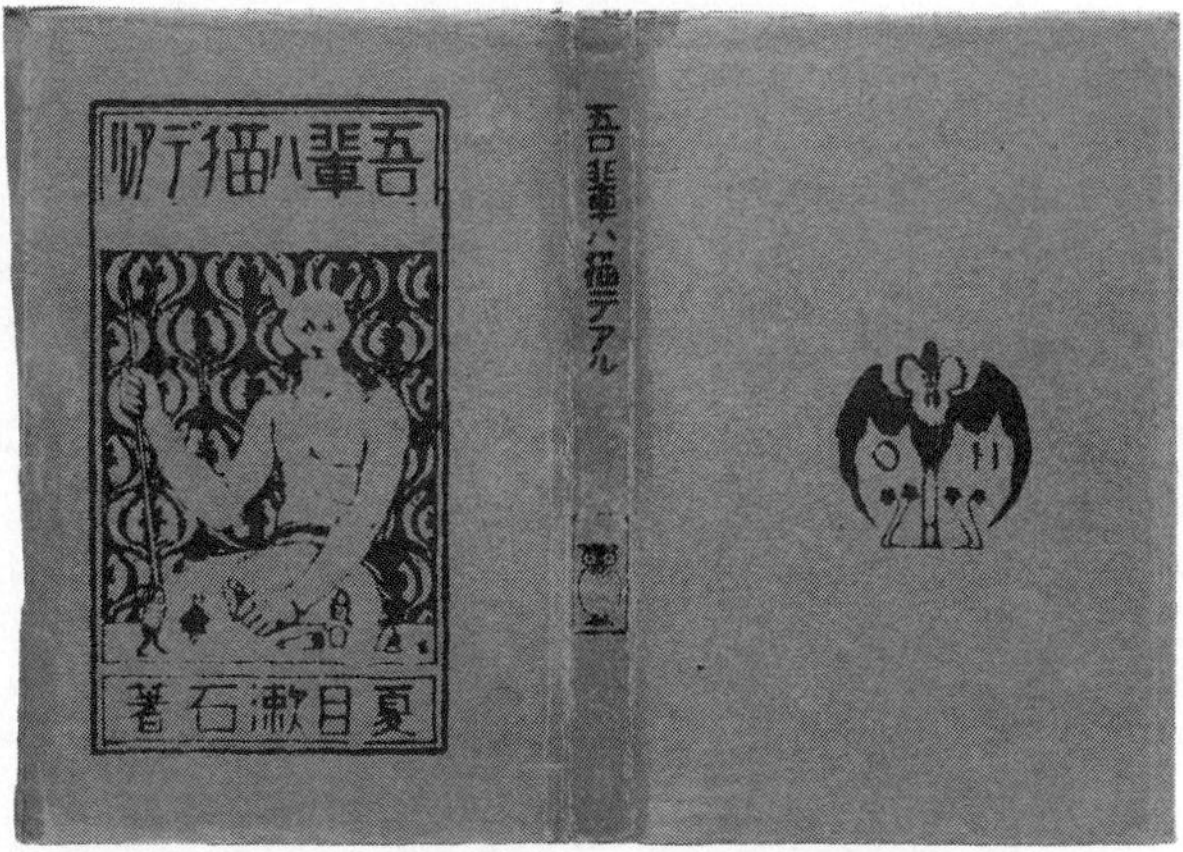

『吾輩は猫である』初版本（上編）装丁（提供：新宿歴史博物館）

石が『吾輩は猫である』の執筆をはじめたのは、その年の暮れのこと。連載は回を重ねるにつれて人気も原稿料も上がり、火の車だった夏目家の家計は、猫によって救われたのだ。

> さて、邸へは忍び込んだもののこれから先どうして善いか分らない。そのうち暗くなる、腹は減る、寒さは寒し、雨が降って来るという始末でもう一刻の猶予が出来なくなった。仕方がないからとにかく明るくて暖かそうな方へ方へとあるいて行く。

これは『吾輩は猫である』の冒頭部である。猫は「明るい方へ」とすがる気持ちで英語教師・珍野苦沙弥の邸に潜り込み、珍野家を訪れる癖の強い客たちの話を聞いては辛辣な批評をし、近所を散策しては人間社会を風刺しはじめる。「人間というものは到底吾輩猫属の言語を解し得るくらいに天の恵に浴しておらん動物であるから」と、好き放題独自の哲学を披露するのだが、その様子は満ち足りて見える。これを読む限り、漱石もまた「猫」によって、心が満たされていったことが想像できる。

このおかしな物語は一気に有名になった。ところが、世間の評価とは裏腹に家族・知人たちは苦笑が絶えなかったそうだ。鏡子は「その時代の私ども一家の生活の実際がずいぶんたくさん織り込まれております」と、『漱石の思い出』の中でこぼす。妻ばかりではない。漱石の門下生である、寺田《てらだ》寅彦《とらひこ》、野間《のま》真綱《まさつな》、高浜虚子、橋口《はしぐち》貢《みつぐ》、野村《のむら》伝四《でんし》らも登場人物に反映されていることがわかってくると、皆それぞれ漱石に苦情を訴えたという。

さて、皆に幸福と笑いを振りまいた福猫は、1908（明治41）年9月13日の未明、物語をなぞるよう静かに庭に出て、人知れず天国へと旅立った。裏庭の桜の木の下へ埋葬が終わると、漱石は墓標に「此の下に稲妻起る宵あらん」としたため、近しい人たちに向けて猫の死亡通知の葉書を送って知らせた。

「辱知猫儀久々病気の処、療養不相叶、昨夜いつの間にかうらの物置のへッツイの上にて逝去致候。埋葬の儀は俥屋をたのみ箱詰にて裏の庭先にて執行仕候。但し主人『三四郎』執筆中につき、御会葬には及び不申候。以上」

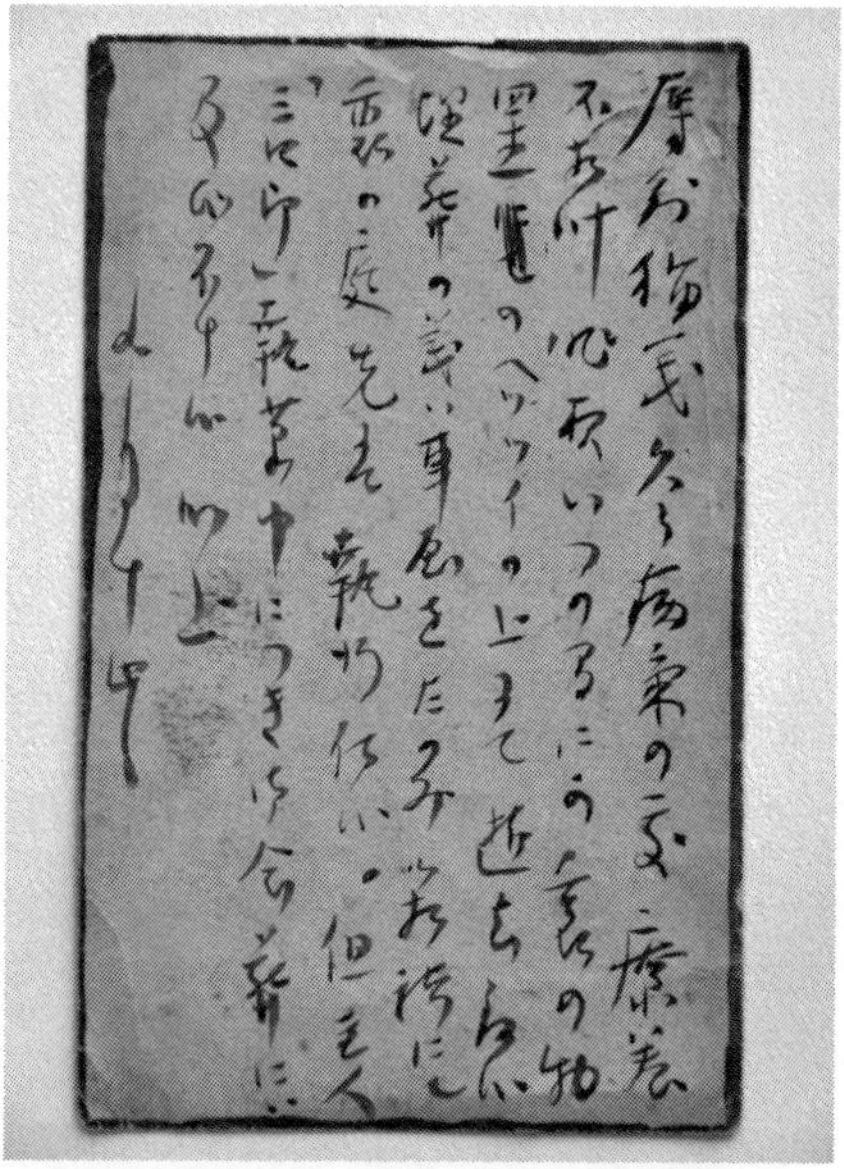

実際に送った猫の死亡通知（提供：新宿歴史博物館）

手書きで綴られたそれは、家族の不幸を知らせる通知に匹敵するものだった。

1915（大正4）年に出版された随筆『硝子戸の中』には、漱石が書斎の窓から、猫の墓と、そのすぐ隣にある犬の墓をしみじみと眺める様子が描かれている。猫より、犬を愛したともいわれている漱石だが、等しく死を悼んでいたようだ。

美しくわがままな猫を熱狂的に愛した

谷崎潤一郎《たにざきじゅんいちろう》

生没年月日

1886(明治19)年7月24日～
1965(昭和40)年7月30日

出身地

東京市日本橋区蛎殻町
(現・東京都中央区日本橋人形町)

代表作

『刺青』
『痴人の愛』
『細雪』

プロフィル

東京・日本橋の裕福な商家に生まれる。父親の散財によって進学が危ぶまれたが、教師の尽力により東京帝国大学に入学。第2次『新思潮』を創刊し『刺青』を発表する。反自然主義的な作風が評価され、浪漫派を代表する存在となる。

猫も女性もわがままな方が魅力的だと力説した

女性の美とエロスに傾倒し、マゾヒスティックな視点から心理を描いたことで耽美派、悪魔主義とも評される谷崎潤一郎。愛猫家としても広く知られており、猫に対しても女性同様の美しさと気高さを求めた。随筆『当世鹿もどき』の『猫と犬』ではこう語る。

猫は我が儘でなかなか飼い主のいうことを聴きません。
却って飼い主を自分の思い通りに使います。（中略）
猫好きの人間はその我が儘なところが又たまらなく可愛いんでございます。（中略）
猫を可愛がる男、猫の云いなりになる男は、大概女性にも云いなりになる——。

このように谷崎は、猫の魅力を語るとき、しばしば人間を引き合いに出した。谷崎にとって興奮と興味を誘うという意味では、人間の猫の違いなど些細なものらしい。たとえ猫であろうとも服従するには妥協はせぬといった激しいマゾヒスト魂を感じさせる随筆を残している。例えば、随筆『猫―マイペット』にはこうある。

「どちらかといえば人間と同じように猫でもただ美しいと云うのよりも利口なものが僕には良い。美しいだけのはすぐに飽きるが、利口な猫がいなくなったり、死んだりすれば本当にホロリとするものだ」

これに対し、流行を追いかけて満足しているような女性は、いくら美人でも嫌悪を覚えるという内容の「客ぎらい」と題した随筆も残しており、その一致性に驚かされる。

理想の美猫ペルは死後も剥製にして美貌を愛でた

谷崎が猫を飼いはじめたのは35歳の頃。最初は日本猫だったため、興味を惹かれなかったというが、のちに海外種の美しさを知ると一気にのめり込んでいった。猫に興味を感じるようになったきっかけが、猫好きで知られるフランスの巨匠・ボードレールの影響であるというから、最初から海外種しか意中になかったのかもしれない。40歳になる頃にはペルシャ猫3匹、アメリカ種1匹、イギリス種1匹、日本猫との混血種を1匹と、6匹の美人猫に囲まれる至福の日々を謳歌するまでに至った。それでも谷崎の猫欲は止まることを知らず、オーストラリア種の入手まで知人に依頼していたという。

中でもイギリス種のべっ甲猫・チュウに対するいれこみようはすごい。チュウは美しさはもちろんであったが、賢さも他の飼い猫たちと比べて群を抜いていたという。どんなに高価な食材でも、昨日の食べ残しと見抜けば口にしなかったらしい。また、ある日、鯛と鮭を細かく刻んで猫たちに与えたところ、チュウだけはカサ増しに入れた鮭だけを器用に避けて鯛だけを食した。普通の飼い主なら愚痴の一つも漏らすところだが、さすがマゾヒストの谷崎。「怜悧な猫だ」と感服した。

そのチュウをモデルに執筆されたのが、『猫と庄造と二人のをんな』である。気高く美しい猫のリリーを巡って、谷崎自身を彷彿とさせる狂猫家の庄造と、前妻の品子、後妻の福子が愛憎劇を繰り広げる物語だ。3人とも懸命に策を講じるのだが、最終的に皆がリリー

ペルは剥製にして側においた（提供：芦屋市谷崎潤一郎記念館）

の魅力の下に踊らされてしまう。谷崎の愛猫家の本質を強く感じさせる作品だ。

　残念なことにチュウは混乱の中、知人のもとに預けられ、本の完成を待たずに13歳で天国へと旅立ってしまう。谷崎はこの悲しみを「まことに因縁浅からざるものあり……墓地へ参り香典を供えて回向いたしました」と手紙にしたため志《し》賀《が》直《なお》哉《や》へと送っている。

　そんな失意の谷崎のもとに、再び理想の猫が舞い降りる。ペルシャ猫のペルである。褐色のゴージャスな毛並みが目を引く高貴な雰囲気を漂わせた猫で、このペルはよほど手放し難かったのだろう。亡くなった後に剥製とし、猫の出入りを禁じていた書斎へと運び入れたという。谷崎、晩年の話である。

愛猫が失踪し風呂も入らず泣き続けた

内田百閒《うちだひゃっけん》

失踪した愛猫を2万枚のチラシを配って必死に捜索

夏目漱石の門下生である内田百閒。東京帝国大学卒業後は、師と同じく大学教授の職に就き、明るい人柄で多くの学生に慕われた。作家としての百閒は、洒落っ気の効いた軽妙な筆致を得意とし、随筆集『百鬼園随筆』は昭和初期の随筆ブームの火付け役となった。

猫の作品も数多く残しており、1949（昭和24）年から1年余り『小説新潮』で連載していた『贋作吾輩は猫である』は、漱石の『吾輩は猫である』を発展させた、遊び心に満ちた名作だ。「吾輩」猫は実は生きており、ケロリとして英語教師・苦沙弥ならぬ、ドイツ語教師・五沙弥宅に厄介になるという話で、単なる二次創作に終わることなく、五沙弥とその友人たちとのお喋りを通じ、まるで新作落語のような洗練された笑いを誘う。

生没年月日

1889（明治22）年5月29日～1971（昭和46）年4月20日

出身地

岡山県岡山市

代表作

『冥途』
『百鬼園随筆』
『阿房列車』

プロフィール

岡山市の酒造家の一人息子として誕生。第六高等学校を経て東京帝国大学独文科に入学、夏目漱石の門下生となる。陸軍士官学校、海軍機関学校、法政大学ドイツ語教授を歴任。ユーモアと風刺に富んだ随筆「百鬼園随筆」で注目される。

ユーモアとはきっても切り離せないのが百閒作品の魅力だが、突如、悲痛な随筆が世間を驚かせた。それが、1957（昭和32）年、百閒が68歳で綴った『ノラや』である。

…引き寄せられるように又風呂場へ行きたくなり、行けばまた泣き出す。ノラが帰らなくなってからもう十日余り経つ。それ迄は毎晩這入っていた風呂にまだ一度も這入らない。風呂蓋の上にノラが寝ていた座布団と掛け布団用の風呂敷がその儘ある。その上に額を押しつけ、いないノラを呼んで、ノラやノラやノラやと云って止められない。（中略）やめなければいけないと思っても、いないノラが可愛くて止められない。

ノラとは、内田家の庭先で生まれた薄赤の虎ブチ模様の雄猫だ。『ノラや』掲載の1年半前に発表された随筆『彼ハ猫デアル』によると、ノラは百閒の妻にじゃれつく人懐っこい野良の仔猫で「水瓶にでも落ちたらかわいそうだ」と百閒が餌を与える許可をしたことがきっかけで飼い猫の座についた。百閒はそれまでも猫を飼った経験はあったが、これほど夢中になったのはノラがはじめてだったという。最初は餌だけのつもりが、台所に入れ、廊下までと容認し、ついには風呂場を寝床にするまでに甘やかしていった。

猫好きの妻に負けず劣らず、百閒もノラを溺愛した。可愛さの余り、漱石の猫になぞらえて「こら、ノラ、猫の癖して何を思索するか」と書いたり、妻のトイレの番をするノラの姿を見て「森蘭丸だ」と喜び、親バカぶりを発揮したりする。

ところが、そのノラに盛りがついて、ふらりと出かけたまま帰らなくなってしまった。その悲しみを日記形式で綴ったのが随筆『ノラや』である。家の中にはノラがいた痕跡があちこちにあり、百閒はどこをみてもノラを思い出し「可哀想だ」と泣き崩れる。仕事も手につかず、精神神経鎮静剤を飲もうにも、それが効いてぐっすり眠り込むとノラが帰宅したときに「ニャア」と呼ぶ声を聞き逃してしまうかもしれないと、躊躇したという。

ノラ失踪から2週間後、百閒はノラの捜索を依頼する新聞の折り込み広告を制作した。チラシは、外国人向けの英語版や子ども向けなど5種類を各3000〜5000枚用意したというから、総合計は約2万枚ということになる。約2週間おきに繰り返し配布し、希望をつないだ。

夫婦を慰めるようにやってきた新米猫クルツを溺愛

チラシは効果を発揮し、近隣住民からは続々と目撃情報が寄せられた。電話で話を聞き、有力とあれば、妻や門下生が飛んでいき、ノラか否かを確認しに行った。ときには、すでに死んで埋められた猫さえ、墓を掘り起こして確認する徹底ぶりだったという。

また、雑誌の読者からは慰めの手紙が殺到した。悪戯もあったが、「我が家の猫は○ヶ月後に帰ってきました」といった良心的な手紙には、百閒は涙を流して喜んだそうだ。

しかし、ノラは見つからなかった。百閒は、翌月『ノラやノラや』を発表。同年12月には『ノラに降る村しぐれ』、翌年6月には『ノラ未だ帰らず』と、随筆に想いを託した。

そんなノラの懸命な捜索の裏側で、内田家にはノラそっくりの野良猫がいつくようになる。妻は「ノラを連れてきてくれたら、うちの猫にしてあげる」と餌を与えたが、百閒は「ノラを思い出して辛くなる」と歓迎しなかった。しかし、毎日通ってくるその猫に対し「家に帰れなくなったノラの伝言を伝えにきた」と思うようになり、家に招き入れる。

クルツと名づけられたその猫は、内田家の新しい家族になった。クルツは気が強く、喧嘩ばかりしたという。たびたび夫妻を心配させたが、ノラ喪失の痛みを徐々に癒していった。そして5年3ヶ月の間、家族に大いに可愛がられた末、皆に囲まれて天寿を全うした。

百閒はコト切れたクルツをしばらく抱いたまま「クルやクルや」と呼びかけ、少しの後悔を残しつつも優しく見送った。

猫のために火鉢の火加減を調整していた

室生犀星《むろおさいせい》

室生家は近所でも有名な猫好き一家だった

大正時代の詩壇を牽引する、抒情詩人の室生犀星と猫との関係性は深い。20歳のとき、北原白秋《きたはらはくしゅう》を訪ねて上京した犀星は、やがて生活が厳しくなり、金沢に一時帰省をした。犀星の日記によると、最初の愛猫とであったのは1928（昭和3）年10月、田んぼで見つけた漆黒の仔猫だった。飼い主である布団屋からもらい受け、「カラス」と名付けた。

その後、萩原朔太郎《はぎわらさくたろう》が探してくれた大森谷中の借家へと引越しが決まると、黒猫カラスも一緒に上京することとなった。カラスはいつの間にかツマロと呼ばれるようになっており、東京での再出発をともにした。ところが、室生家が転居した新居にいつかず、何度連れ戻しても谷中の家に帰ってしまい、やむなく切ない別れを迎えてしまったという。

生没年月日

1889（明治22）年8月1日～
1962（昭和37）年3月26日

出身地

石川県金沢市

代表作

『愛の詩集』
『抒情小曲集』
『杏っ子』

プロフィル

加賀藩の旧藩士のもとで生まれるも、生後すぐ千日山雨宝院にもらわれて育つ。北原白秋に影響を受け20歳で上京。貧困のため故郷と東京を往復しながら詩作を続け『愛の詩集』など抒情詩が文壇に認められる。のちに小説や随筆も手がける。

娘の室生朝子の著『うち猫そと猫』によると、その後、室生家の動物好きは近所に知れ渡り、庭先にはたびたび猫が捨てられるようになったという。虎猫のジイノもその1匹。かりんとうと煎餅、「仔猫をよろしくお願いします」という短い手紙と一緒に寒椿の根もとに置き去りにされているのを見つけ、雄猫だったので家族の一員となった。

ジイノは愛嬌者だった。不意に姿を消したかと思うと、何食わぬ顔で机の下に寝ていたり、はじめて見る雪粒にじっと見とれていたりと、何かと室生家をにぎわせた。

そんなある寒い日、寒がりのジイノは火鉢のそばに座った。それを見ていた犀星が、もっと火のそばに寄せてやろうと背中を押したところ、思わぬことが起きた。ジイノが両手を火鉢のフチにポンポンと乗せたかと思うと、そのまま眠ってしまったのだ。それだけではない。翌日からは、自分から両手を乗せて暖をとりはじめたという。

普段の犀星なら、猫に持ち物を汚されるとすぐに追い払ったそうだが、ジイノの愛らしさには屈したようだ。「猫の毛の脂はひどいものだ。ジイノが手をかけた火鉢のふちは、くもってしまって、おかげで艶布巾をかける手間が多くなった」といいながらも、嬉しそうに火鉢の温度を調節して、ジイノが火傷しないように世話を焼いたという。

そんなにも犀星を喜ばせたジイノだったが、恋の季節に放浪に出たきり帰らなくなってしまった。犀星の落胆は激しく、家族みんなで「人懐こく甘ったれであったから、どこかで、誰かに、愛されているに違いない」と慰め合ったという。

ペルシャ猫の血を引く美しい猫を溺愛

犀星が最晩年に愛した猫はカメチョロという変わった名の猫だ。信濃の方言で「トカゲ」という意味を持ち、庭を駆け回る姿が似ていたことから犀星が命名した。カメチョロは、軽井沢の別荘を手掛けた大工の家の仔猫で、夏の間だけ、慰めに側に置いていた借り猫だった。ところが、2年目の夏、再会したカメチョロはペルシャ猫のような長毛を携えた美しい姿に成長しており、犀星は感激してそのまま東京に連れ帰った。

その溺愛ぶりはひとしおだった。自慢の庭に粗相をしても、机の上に登っても許したばかりか、「これはワシの猫だから、ワシが世話する」と、自ら餌を与えるほど熱を上げていた。

ところが、都会暮らしが合わなかったのか、カメチョロは病に倒れ、早過ぎる永眠のときを迎えてしまった。犀星の悲しみは深く「生き物はもうこりごりだ。疲れたね」とこぼし、その後、新たな猫を迎えないまま、その約1年半後、自らも長い眠りについた。

火鉢にあたる犀星とジイノ（提供：室生犀星記念館）

抱かれて眠り落ちしは
なやめる猫のひるすぎ（中略）
抱ける猫をそと置けば
なやみに耐えずふところにかへりて
いとも静かに又眠りゆく

　これは詩『愛猫』からの一節。犀星は軽井沢で育ったカメチョロを東京へ移したことを悔いており、その遺毛を、自ら建立した軽井沢の文学碑のもとに埋葬していた。その後、犀星自身の遺骨も分骨され、まるで、離れてしまった愛猫を、再びふところに抱くかのように、一緒に静かに眠っていた。現在、犀星の遺骨は金沢の墓所へ移されている。

40歳ではじめて猫を飼い愉快な驚きの連続

寺田寅彦《てらだとらひこ》

生没年月日

1878(明治11)年11月28日～
1935(昭和10)年12月31日

出身地

東京市麹町区
(現・東京都千代田区麹町)

代表作

『海の物理学』
『藪柑子集』
『柿の種』

プロフィル

高知県の士族・寺田利正の長男として生まれる。熊本の第五高等学校で、英語教師の夏目漱石、物理学教師の田丸卓郎に教えを乞い、物理学者、文学者の両面で活躍する。文学者としては科学者としての目線で記した随筆に定評がある。

猫のゴロゴロに驚いて子どもたちに笑われる

「天災は忘れた頃にやってくる」の名言で知られる寺田寅彦。物理学者でありながら、夏目漱石の門下生としても名高く、随筆集や俳句を発表している。また漱石の『吾輩は猫である』に登場する水島寒月や『三四郎』の野々宮宗八のモデルとしても知られている。

随筆『ねずみと猫』によると、寺田が猫をはじめて家族として迎えたのは40歳を過ぎた後とのこと。2人の妻に先立たれ、三度目の結婚をして新居を構えてすぐだった。

前の家では鼠に泣かされてきたという寺田は、新居の建築の際に大工に「どうか天井に鼠が入り込まないようにしてもらいたい」と念を押したというが、ほんの数ヶ月で鼠がなだれ込み、食糧ばかりか新品の本をかじったり、女中の背中にはりついたりと大騒動が起きてしまった。そんな騒動に終止符を打つべく、満を持してやってきたのが三毛猫の三毛だった。母の猫嫌いのため、猫に触れた経験すらなかったという寺田は、猫を見るのも聞くのも珍しかったとみえ、猫が喉を鳴らしただけで、たちまち科学者らしい好奇心をあらわにする。

これは振動が固い肋骨に伝わってそれが外側まで感ずるのではないかと思うのである。それにしてもこの音の発するメカニズムや、このような発音の生理的の意義やについて知りたいと思う事がいろいろ考えられる。中学校で動物学を教わったけれども、鳥や虫の声については雑誌や書物で読んだけれども、猫のゴロゴロについてはまだ知る機会がついなかったのである。（中略）レニンやデモクラシーや猫のゴロゴロのほんとうにわかっている人も存外に少ないのではあるまいか。

そんな考察の結果、「この猫は肺でも悪いんじゃないか」というと、妻だけでなく子どもにまで笑われてしまったという。その後、寺田はもはや猫を家畜とは考えられなくなり、頭の中で人格化していったという。そうした経緯で、自然と猫に話しかける愛猫家となった。

やがて、寺田は立て続けに虎毛の雄猫のたまを迎える。すると2匹の相違に気づかされ、今度は猫にも個性があることに驚く。その純粋さは科学好きの少年さながらである。

猫特有の行動に空想の翼を羽ばたかせていった

徐々に寺田の興奮は落ちつきを見せ、猫の成長とともに寺田も飼い主として成長していく。『ねずみと猫』に続く作品が、その翌年を描いた『子猫』だ。ここでは三毛の出産にまつわるほろ苦いエピソードを中心に、苦難を乗り越えたことで寺田の猫愛が、ますます円熟味を増していく様子が描かれていく。

その数年後、たまが天寿を全うした後に彼の「不思議な特性」を振り返って書かれたのが『舞踊』である。ごく短い小編ではあるが、これもまた猫のゴロゴロに通じる、寺田独特の感性が笑いを誘うユーモラスな随筆だ。

自分が風呂場へはいる時によくいっしょにくっついて来る。そして自分が裸になるのを見てそこに脱ぎ捨てた着物の上にあがって前足を交互にあげて足踏みをする、のみならず、その爪で着物を引っかきまたもむような挙動をする。そして裸体の主人を一心に見つめながら咽喉をゴロゴロ鳴らし、短いしっぽを立てて振動させるのであった。

猫を飼った経験のある人にはすぐに「ふみふみだな！」とピンとくる、有名な猫の幼児化行動である。ねこの博物館館長・今泉忠明氏の著書『猫はふしぎ』によると、ふみふみは仔猫が母猫の乳を吸うときにする行動で、大人になってから人間に対して行うのは、その人間を実の親のように感じている証拠だという。それだけ寺田はたまの信頼を勝ち得たといえるが、ふみふみをするのが、なぜ脱ぎ捨てた着物なのかは謎である。

それはさておき、寺田はそんな猫の本能の言及はせず、代わりに妙な空想を膨らませる。

原始的な食人種が敵人をほふってその屍の前に勇躍するグロテスクな光景とのある関係も示唆される。

そんな空想は止まることなく「人間に共通な舞踊のインスティンクトの起源」とまで飛躍していく。寺田にとって猫は、「空想の翼」の律動を促す原動力だったようだ。

猫親子の絆に感動し猫嫌いから愛猫家に

志賀直哉《しがなおや》

文壇でも有名な犬派で猫は大嫌いだった

志賀直哉は、文学者の道を否定する父親との対立の中、人道主義・理想主義を掲げる白樺派の代表的人物となった文豪である。17歳で内村鑑三《うちむらかんぞう》の門下となったことで厳しい倫理感覚を養い、父親との確執、湧き上がる肉欲に対する葛藤が、優れた作品を生み出す原動力となったことでも知られている。

そんな志賀にとって、心の支えとなったのが動物の存在だった。平凡社刊『作家の犬』にある、息子・直吉の話によると、志賀が幼少期を過ごした麻布の邸宅でも犬が飼われており、以来、動物は絶えることがなかったという。子どもが生まれて以降は、鳩、アヒル、ふくろうなど鳥類や、猿や熊まで飼っていたというから驚きだ。

生没年月日

1883(明治16)年2月20日～
1971(昭和46)年10月21日

出身地

宮城県牡鹿郡石巻町
(現・石巻市住吉町)

代表作

『城の崎にて』
『小僧の神様』
『暗夜行路』

プロフィル

宮城県石巻の裕福な家庭に生まれる。東京帝国大学文学部に入学。武者小路実篤、有島武郎らと「白樺」を創刊し白樺派の代表的作家となる。無駄のない卓越した表現力から多くの作家に影響を与え「小説の神様」と呼ばれた。

特に愛犬家として有名で、イングリッシュ・セッターやグレーハウンドなど犬種を問わず愛していた。クマという雑種犬が迷子になった際には必死に探しまわり、乗っていたバスの窓から見つけると、バスを急停車させて追いかけたというエピソードさえある。

そんな動物好きの志賀だが、猫だけは別だった。親交の深かった谷崎潤一郎の随筆『猫と犬』の中には「志賀直哉さんなんかも明らかに犬党の方で『猫は嫌いだ』とおっしゃっていらっしゃいます」とある。文壇でも猫嫌いは有名だったらしい。

その理由は、1947（昭和22）年に発表された志賀の随筆『猫』に綴られている。「私は永年、自分を猫嫌いと決めていた」といい放ち、その理由を「寝心地が良さそうだと思えば知らない人の膝でも平気で這い上がって来る。そういう身勝手な性質を私は好まない」と語っている。よその家で猫が膝に乗ってきたら、首根っこを捕まえて追い払ったという。

また、志賀が作品に猫を登場させたのはわずか2回しかないことも明かしている。

そのうちのひとつ『濠端《ほりばた》の住まい』は、猫が養鶏場の母鶏を襲ったために、罠にかけられ処分されてしまうという切ない話だ。罠にかかった猫は夜の間、暴れながら、怒りと哀願と絶望を繰り返して鳴き続けるが、夫婦の生活を考えると助けるには及ばないと見過ごしてしまう。そこからは、命に対する同情は感じられても、猫を慈しむ感情は読みとることができない。

愛娘のためはじめて家に迎えた仔猫にご執心

そんな頑なな志賀の意思が動いたのは、65歳を迎えた頃。雌猫が3匹の仔猫を連れて志賀家の書庫に居ついてしまったことがきっかけだったそうだ。発見からまもなく、この猫の親子は近所のM家の飼い猫だとわかり、志賀はすぐにもとの家に返しにいった。ところが、志賀と同じく生き物が大好きな16歳の娘・貴美子は、すでに猫たちに里心がついており、とても悲しがったという。そこで志賀は、娘のためにその3匹の中から、虎斑の仔猫を1匹もらい受けることにした。

娘は喜び、志賀も安心した、その矢先だ。3日目の夜中、母猫がやってきた。仔猫を奪われるのではないかと追い返したものの、また翌晩も母猫はやってきた。志賀は仕方なく入れてやるのだが、翌日も、またその翌日もきて仔猫にお乳をあげ、その後は、母猫だけが飼い主の家に戻っていったという。

それを見て志賀は驚いた。きっと飼い主が残った仔猫もよその家にあげてしまったため、母猫はすぐ向かいに住んでいる我が家に会いに来るのだと同情したのだ。

母猫は如何も幸福さうに半分目を閉ぢ、横倒しに寝たまま、長い尻尾を、それだけが別の生物かのような動かし方をして、仔猫を喜ばせてゐた。人間の母親はこれ程、人間に寛大だらうか、もつと煩がるかもしれないと思った。

こうして、徐々に猫への嫌悪感はなりを潜めた。ところがその晩、親猫が仔猫を隠してしまい、それが志賀の猫へ評価を決定づける事件となった。最初は、どうせ母猫の飼い主の家にいるのだろうと「いっぱい食わされたね」と笑う志賀だったが、もとの家どころか、近所をくまなく探しても見つからない。やがて雨が降ってくると、志賀の不安は激しく募り、娘だけではなく、息子まで動員して猫親子の捜索をはじめるのだった。

結局、仔猫が見つかったのは2日後。母猫の飼い主が「昨晩連れて帰ってきました」と抱いてきてくれたのだ。志賀は、そのときの感情を「私は上機嫌になった。もう猫嫌ひとは云えなくなった」と綴っている。

その後、志賀は愛猫家に。帰宅すると真っ先に「猫はどうしている？」と尋ねてしまうほど、猫に心を奪われていくのだった。

バカ者は嫌いだと嘆き猫の賢さを愛した

佐《さ》藤《とう》春《はる》夫《お》

都会を捨て、妻と犬と猫を伴い田園地方へ移住

叙情詩人として活動したのち、1919（大正8）年、谷崎潤一郎の推挙により『田園の憂鬱』を発表した佐藤春夫。作風は主知主義と称され、新進流行作家に名を連ねた。

出世作の『田園の憂鬱』は、佐藤の自伝的小説だ。都会を逃れ、女優の妻、2匹の犬、そして1匹の猫を伴って神奈川県の丘陵地方で暮らした佐藤が、輝かしい希望を失い、深い憂鬱と倦怠に苛まれていくまでが描かれている。ここに愛猫の青が登場する。

当初、荒れ果てた庭にさえ耽美的心象風景を重ねた彼は、薔薇の刺が刺さっただけでも「甘える愛猫が彼の手を優しく噛むほどの痒さを彼に感じさせた」と愛猫家らしい恍惚にひたる。ところが、隣人とのトラブルが原因で理想は砕かれ、自分も妻も犬さえも衰弱して

生没年月日

1892（明治25）年4月9日～
1964（昭和39）年5月6日

出身地

和歌山県東牟婁郡新宮町
（現・新宮市）

代表作

『田園の憂鬱』
『秋刀魚の歌』
『晶子曼陀羅』

プロフィル

医師の家の長男として生まれる。慶應義塾大学予科文学部入学後は永井荷風に師事。谷崎潤一郎の推挙により『田園の憂鬱』を発表するや、新進作家の地位を確立する。短歌、詩、小説、評論、外国児童文学翻訳など作品は多岐に渡った。

しまう。そんな中、青だけは鮮烈なまでに生命力にあふれる存在として描かれる。

猫は毎日毎日外へ出て歩いて、濡れた体と泥だらけの足とで家中を横行した。そればかりか、この猫は或る日、蛙を咥えて家のなかへ運び込んでからは、寒さで動作ののろくなって居る蛙を、毎日毎日、幾つも幾つも咥えてきた。（中略）いかに叱っても、猫はそれを運ぶことをやめなかった。（中略）猫は家のなかを荒野と同じように考えている。

蛙を咥えて主人に差し出す姿は、一見野蛮にもみえる。しかし、最近の研究では、猫のこういった行動は親猫が仔猫に狩りを教えるための行動ともいわれており、もしかすると青は佐藤や犬たちに向かって、闘争本能を根気よく焚きつけていたのかもしれない。

人と会話もできる知性あふれるチビを溺愛

わたくしの猫は美しいものでも珍しいものでもなく（中略）非常に賢い奴のように思

えてわたくしはこれを愛していた。わたくしはバカなのは大きらいである。(中略) そういうものを見慣れ我慢しているわたくしにとって、わたくしのチビの如きはまことに貴重な存在のように思われて、わたくしはこれを愛していた。

青が去った後も、佐藤は様々な猫と暮らした。最も愛情を注いだ愛猫は、最晩年をともにした虎猫のチビである。チビは息子が酔ってポケットに入れて連れてきたという猫。先に紹介した作品は『愛猫知美の死』の抜粋で、佐藤は、チビの知性を愛したという。会話しながら食事を楽しんだという様子は、『猫と婆さん』にも綴られている。

「なぜ、くださいとか何とか言わないのか?」と言えば、相手は
「ニャア!」と答える。
「そんなのはだめだ。なぜもっと元気よくいい声を出さない?」
「ニャアン! ニャン!!」
食べてしまったのを見ると
「黙って食べるやつがあるか。おいしかったなら、おいしかったと言わなけやいけない

ではないか」

「ワアンワン〜〜」

そんな微笑ましいやりとりの中、食卓を飾るメニューは猫が喜ぶものに変わり、チビの好みが佐藤の好みになったそうだ。


チビとの蜜月は約10年続いたが、1964（昭和39）年3月に別れを迎える。両親や師匠を亡くしても泣かなかったという佐藤だが、チビの死には「拭えども拭えども涙が出て困った」といい、チビではかわいそうなので「知美」と名づけたいと書き残した。そこから2ヶ月足らずの5月、佐藤はチビを追うように天へと旅立つ。最期の言葉は「幸いにして……」だったという。

猫と佐藤自身の影を重ねて撮影し「傑作」と自慢していた
（提供：新宮市立佐藤春夫記念館）

500匹の猫と暮らした文豪一の愛猫家

大佛次郎《お・さらぎじろう》

物心ついて以来いつでも猫がそばにいた

大衆文学『鞍馬天狗』の作者として知られる大佛次郎は、猫の随筆も数多く発表し、猫好きの文豪としてとても有名だ。猫の作品を集めた『猫のいる日々』の冒頭を飾る随筆『黙っている猫』には、猫を愛する大佛の思いがあふれている。

猫は僕の趣味ではない。いつの間にか生活になくてはならない優しい伴侶になっているのだ。

そして、猫の美点は「孤独になりながら強く自分を守っている」ことだという。さらに、

生没年月日

1897(明治30)年10月9日〜
1973(昭和48)年4月30日

出身地

神奈川県横浜市

代表作

『鞍馬天狗』
『赤穂浪士』
『パリ燃ゆ』

プロフィル

東京帝国大学法学部政治学科卒業後、鎌倉高等女学校の国語と歴史の教師を経て、外務省に嘱託として勤務。翻訳の仕事に就き、海外文学の翻訳なども手がける。関東大震災をきっかけに執筆に専念し、『鞍馬天狗』シリーズがベストセラーとなる。

夫婦揃って猫好きだった（提供：大佛次郎記念館）

人間の女性と比較し、猫は「冷淡になればなるだけ美しい」といい、決してこちらの心を乱さない「客間の虎」であると説く。猫の孤独を尊重し、いたずらにかまいすぎない。そうすることで「猫はいよいよ猫らしく美しくなって、無言の愛着を飼主に寄せて来るのである」というのだ。猫好きだからこそ習得し得た、猫との美しい付き合い方を説いたこの随筆は、猫を飼う者全てに向けたメッセージのようにも受け取れる。

猫の美しさについて触れた話に『私の猫』と題された話がある。ペルシャ猫やイギリス種などの海外の猫の外見上の美しさは認めるものの、「白いニッポンの猫」コトンとシロの美しさも負けてはいないと主張する。

このコトンとシロは、家族しか見分けがつかない白猫兄妹。名前を間違えると冷淡に素通りするという賢さをもち、また、大佛の妻が入院した際には、食事も喉が通らなくなるほどの繊細さと愛情をあらわにしたという。つまり、大佛にとって猫の美しさとは見た目だけではなく、外見と内面、両方が揃ってこそ完成する奥深いものなのだ。

夫婦揃って猫好き 妻はさらに「度が過ぎていた」

大佛の飼い猫のほとんどは日本種だった。しかも捨て猫、野良猫ばかり。それは、大佛の猫好きを知ったものが庭先に猫を捨てにきたり、また猫自身も好んで大佛の庭に集い、そのまま飼い猫に昇格することもあったためだ。

随筆『猫の引越し』は、猫が増え続ける現状に危惧した大佛が妻に向かって「猫が十五匹以上になったら、おれはこの家を猫にゆずって、別居する」と宣言した有名な話だ。

ある日、大佛が数えたら16匹いた。「1匹多い」と妻に告げると、「それはお客さまです。御飯を食べたら、帰ることになっています」と返したという。とんちが効いた笑い話だが、これは実話。妻は大佛以上に猫に甘かったのだ。戦時中の食糧不足のときは、よその飼い猫にさえも彼女は慈悲を与えていた。それを知った大佛は、「通いと住込みか」と笑って納得したそうだ。結局、この通いは仔猫を同伴して住み込みになり、大佛家はますます猫屋敷と化していくのだった。

妻は猫に甘かったが、大佛は、猫にも妻にも甘かったようだ。

それもそのはず、妻は大佛と結婚する前は猫を嫌っていたと随筆『春風秋雨三十余年』にある。大佛の妻となったがために、猫好きになり「度を過ぎて来た」という。なんと、よそで死んでいた猫を庭先に埋葬したこともあったそうだ。

そんな大佛夫妻だけに、飼い猫は平均10匹を下らなかったという。そして、大佛が生涯に飼った猫は500匹にものぼった。

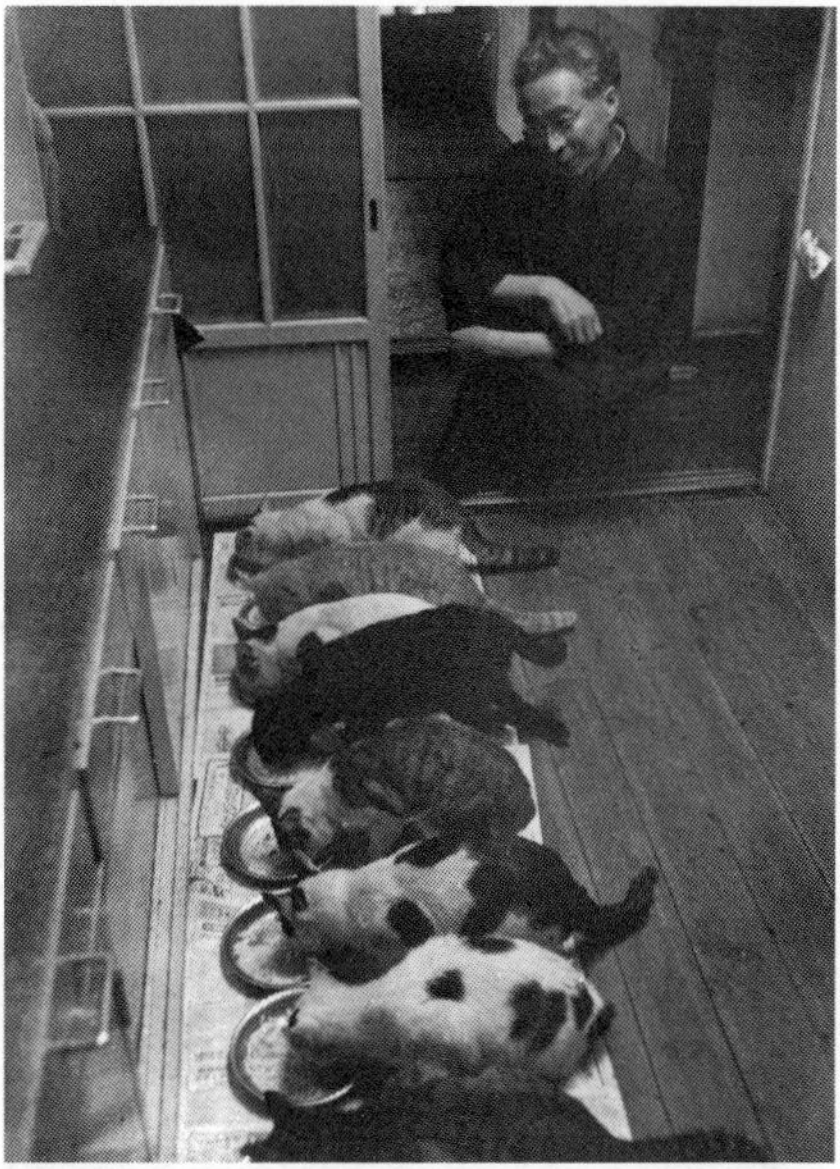

猫の食事風景を見守る大佛（提供：大佛次郎記念館）

大佛一押しの童話『スイッチョねこ』はかなり奥深い物語

先述のコトンとシロをはじめ、大佛の作品には白猫の話が多い。『白猫』や『白猫白吉』という短編小説もあり、童話『スイッチョねこ』の主人公も「白吉」という白猫だ。随筆『わが小説―スイッチョ猫』で、「私の一代の傑作は本当は終戦後、藤田圭雄さんがやっていた『赤トンボ』に書いた『スイッチョ猫』だ」と明かしている。

あらすじはこうだ。白吉といういたずらな仔猫が、ある日、虫のスイッチョを食べてしまう。すると、お腹の中でスイッチョが鳴き続けて、寝ることすらできなくなってしまった。母猫の言いつけを守らなかったばかりに、嫌いな医者に連れていかれたり、切開手術をされそうになったりと、散々な目にあってしまう。

一見すると子ども向けの教訓話なのだが、大人の心にも不思議と深い気づきをもたらす。

…夜の庭へ出て、虫の声がふるように聞こえる木のかげにすわってしずかにしていますと、おなかのスイッチョが、きれいな声でなくので、近所にいるまつむしやすずむしもねこが来ているとも思わず安心して、声をそろえて歌いつづけるのでした。ですから、白ねこは、どこへ行っても美しい虫の声につつまれていました。

好奇心で虫を食べてしまった白吉。しかし、虫の声を聞きながら、とろうと思えばいつでもとれるけれど「もうなく虫なんて食べないや」とつくづく考える。

スイッチョは、命の尊さを説くための存在とも考えられるが、大佛は先の随筆で「子どものころからねむり猫だった私のスイッチョは何だろう？」と締めくくっている。どうやらスイッチョが意味するものは、単純ではなさそうだ。随筆に答えは書かれていないが、作者自身が「一代の傑作」という真意は、その答えが導く先にあるのかもしれない。読み返して「スイッチョ」の本質を探ってみてはいかがだろうか？

猫に囲まれて執筆する大佛（提供：大佛次郎記念館）

猫と聖書と広辞苑を片時も離さなかった

稲《い》垣《なが》足《きたる》穂《ほ》

生没年月日

1900(明治33)年12月26日〜
1977(昭和52)年10月25日

出身地

大阪府大阪市船場

代表作

『一千一秒物語』
『少年愛の美学』
『ヰタ・マキニカリス』

プロフィル

関西学院普通部に入学し、同人誌『飛行画報』を創刊。飛行家を目指して上京するが試験が不合格となり断念し、佐藤春夫に師事して文学を志す。処女作『一千一秒物語』は芥川龍之介の称賛を得て、モダニズム文学の寵児となった。

文壇の異端児も猫にはかなり寛容だった

稲垣足穂は文壇から孤立し、新感覚派とも異端とも評される「売れない文学」者であった。「天体嗜好症」を自称し、飛行機、機械装置、少年愛などに深い関心を寄せて綴られた作品は、幻想にあふれ、特異とも取れる描写がひしめく。第4回谷崎潤一郎賞の候補に上がった『少年愛の美学』は、難解さのため受賞を逃したともいわれている。

絵画や音楽、映画を愛し、貧困のなか流浪を繰り返すことしばしば。手を差し伸べる師の佐藤春夫にすら、意にそぐわぬことがあれば反旗を翻したという稲垣は、人を寄せ付けない芸術家然とした印象をもたれているが、意外にも猫には寛容だったという。

志代夫人の著『夫稲垣足穂』によると、稲垣は愛猫のミイが原稿の上で眠ってしまっても、追い払うどころか立ち去るまでじっと待ち、座布団を占拠されることはしょっちゅう。ミイを肩に乗せたままで執筆することもあったというから微笑ましい。

ミイがいなくなった後にやってきたのが、2匹の白猫カカとピピだ。稲垣は可愛がっていたが、夫人が不在中の8月、2匹は暑気あたりでぐったりしてしまった。小さなものたちの苦しみを見かねた稲垣は、一晩中眠ることができず酒を飲み明かしたという。

稲垣が猫に対して、深い情を示す理由。それは稲垣が起こした「罪」への懺悔であったという。かつて稲垣は夫人にこう告白した。

自分は別に猫好きではなかったが、自分の行き詰まりのとばっちりで二度にわたって子猫を手にかけたことがある。だから機会があるごとに、自分はその償いをしなければならない。

とある年の12月中旬、稲垣は宇治の寺で古井戸に落ちた猫を助けるために飛び込んだこともあったというから、決意は本物といえる。やがて稲垣には、夫人がプレゼントした広辞苑に並んで、猫と聖書が欠かせない存在となったという。

稲垣家で最も長く暮らしたのが、稲垣が保護した虎猫のカア。「これが崖をはい上がって泣くので、一晩預かってやってくれ」といったのが、それきり手放すことはなかったそうだ。保護した当初、カアは綿くずのような仔猫で、稲垣の溺愛ぶりはひとしおだった。

おかずは必ず先にカアに一口与え、食いっぷりがいいと「これはうまい。カアもよく食べた」と褒め、エビの天ぷらが食卓に並ぶと、夫人の分まで食べさせてしまったという。

またある日、来客時に取り寄せた幕内弁当の刺身を、稲垣は当然のようにカアの口もとに真っ先に運んだ。それを目撃した客から「どうせ私どもは猫並みでございますから、ハイ」と嫌味をいわれると、すぐさま稲垣は切り返した。

「いや、猫のほうが上品ですよ。しかもヤツは女によく似ていますよ。傲慢で、気取り屋で、おしゃれで、ぜいたくで気ままもので勝手次第。ちょっとさからうと爪でひっかく」

猫に向かって赤ちゃん言葉で話していた

ある晩、黒猫をつかまえ鋏でしっぽをパチン！

と黄いろい煙になってしまった

頭の上でキャッ！　という声がした
窓をあけると　尾のないホーキ星が逃げていくのが見えた

これは稲垣の処女作『一千一秒物語』の一節『黒猫のしっぽを切った話』である。他にも『黒猫を射ち落した話』という一節もあり、怪しい音の方向にピストルを射つと煙になって、歩道の上にボール紙の黒猫が落ちていたというキテレツな話だ。

稲垣の猫の作品として有名だが、これを執筆した当初、稲垣は猫を飼っていなかった。だからこそ、頭の中であれ残酷な扱いができたのだろう。稲垣の猫への懺悔がはじまったのはもっと後、側に置いたのは50歳を過ぎて結婚してからだったと、娘の都は平凡社刊『作家と猫』の中で明かしている。それによると稲垣が猫に「そこにおじゅの〜？」など幼稚言葉で語りかけ、まるで子どもに対するように優しく頭を撫でていたそうだ。

特に印象的なのはこのエピソードだ。稲垣夫妻の外出中、自宅が火事にあい、その混乱の中で愛猫が亡くなってしまった。「窓が開いていたのに、逃げなかったのです。なんだか両親の身代わりになってくれたようで、不思議な気持ちになりました」と娘は語る。

痛ましい事故ではあるが、稲垣の想いが猫に通じ、罪が許された証だと考えたい。

愛猫のため裸足で飛び出し野良猫と格闘

幸田文《こうだあや》

生没年月日

1904(明治37)年9月1日～
1990(平成2)年10月31日

出身地

東京府南葛飾郡寺島村
(現・東京都墨田区)

代表作

『黒い裾』
『流れる』
『おとうと』

プロフィル

幸田露伴の次女として東京に生まれる。5歳で母を亡くし、父から厳しいしつけを受けて育つ。露伴の死後、思い出を綴った『雑記』で作家デビュー。芸者置屋で働いた経験をもとに綴った小説『流れる』で日本芸術院賞などを受賞する。

あんこ好きの猫がきっかけで犬好きから猫好きに

幸《こう》田《だ》露《ろ》伴《はん》を父にもつ幸田文は、犬好きの父親の影響を受け、幼少期から犬と寄り添いながら暮らしていた。随筆『親ゆずりの犬好き』によると、はじめて自分の犬をもったのは小学校2年生のとき。それ以降大型犬から小型の愛玩犬まで、様々な犬と暮らしたという。

そんな幸田は犬派かというと、そうではなかった。様々な動物を好み、鼠退治の目的で譲り受けた猫をきっかけに、すぐに猫にも夢中になった。

小説『あじの目玉』に登場する美しい藍ねず色の毛を持つ猫のネズ子こそが、幸田の最初の愛猫である。あんこが好きという変わった嗜好が気に入って、知人から譲り受けた鼠捕りの名手が、残念ながら喧嘩で作った傷が原因で亡くなってしまう。

しかし、亡くなる前、ネズ子は3匹の仔猫をもうけていた。そのうちの1匹が2代目の愛猫クロである。青い大きな目を持つ可愛い雄の黒トラで、穏やかな性質だったというが、それだけに喧嘩が弱かった。野良猫の大親分に襲われ、去勢後には、雌に間違われてまたも襲われかけたというから、猫から見ても相当に美しかったのだろう。また非常に愛情深く、2匹の仔猫が家族に加わった際には、仔猫に寄り添い母親がわりになったという。

クロはその後も随筆の中にたびたび登場する。『秋のおもひ』は、クロが8歳の頃の話。クロは若い頃には何匹もの蜥蜴《とかげ》を家に持ち込んでくるほどヤンチャだったが、その頃には雀の子さえうまく捕まえられなくなっていた。ところが、ある日、鈍い雀を1匹捉えた。それをみていた幸田の娘が慌ててクロの口をこじ開けると、雀は無事に飛び去ったという。幸田はそんな愛猫の老い姿を見て、晩年の父を思い出し、また自分の老いにも静かに目を向けたと明かす。猫は人生に寄り添う存在ということだろう。

『あじの目玉』は、生の終わりに向かう14歳のクロと、そこに優しく寄り添う主人公の姿が描かれている。食欲の落ちたクロにあじの目玉を与えて、そっと見つめる幸田の細やかな愛情がしみじみと伝わってくる名作だ。

そんなふたりの静かな時間はもう少しだけ続き、クロは16歳で天寿を全うした。

命の美しさと儚さを教えてくれる『ふたつボン』

二つはほとんど離れたことがなかった。ひょいひょいと、ふかふかむくむくの丸いお尻が音もなく濡縁をおりて行く。すっすっと黒いかたまりが二度つづいて垣根を伝わって行く。ちょんちょん、又ちょんちょんと四つの黄色い光る目がこちらを見ている。つんつん、又つんつんと、四つの尖った耳が向こう向きに揃っている。そして遊び疲れて眠りこけたとき、八本の肢と二つの頸は、どこが境とも知れず、剥がすことができないようにこんがらがっている。

たくさんのオノマトペが並ぶ、この愉快な作品は、幸田が50歳で発表した随筆『ふたつボン』。ボンと名づけられた2匹の仔猫の話で、幸田のウキウキとした感情を伝えている。

幸田は黒猫が好きだった。幼少期に与えられた1冊の海外製の絵本に出てくる黒猫が潜在意識の中に刷り込まれていたのが要因だと随筆『読書のすすめ』で綴っている。知人の家に遊びに行った際、ピアノの足もとに絵本そっくりの黒猫が座っていたのを見て、40年の歳月を超えて再開したような気持ちになったという。

そんな折、女学生時代からの友人の家に長毛の黒猫が生まれたと聞き、雄と雌の2匹の仔猫を譲り受けたのが『ふたつボン』だ。「この毛の長い異人種みたいな猫」たちは、なぜかよその猫からは嫌われ、たびたび襲われてしまう。そのたびに、幸田は仔猫たちに加勢して、よその猫に立ち向かった。あるときはハンガーを投げ、あるときは履いていたサンダルを投げ出し裸足で追いかけたという。

こうして小さな命を必死に守り続けた幸田だったが、不幸は突如訪れた。

医者はすぐに来てくれた。一見して、「自動車です」といった。

幸田家に来客があった夜、幼い2匹は道路に出てしまった。雄のボンは戻ったが、雌が戻らず、探しに行くと裏庭で倒れていた。前足の爪には泥が詰まっており、轢かれてすぐまだ息があったときに、家に帰りたい一心で這ってきたためだろうと幸田は推測する。切ない話だが、悲しみを乗り越え、幸田は小さな命を『ふたつボン』に美しく留めた。

雄のボンは「ひとつボン」と呼ばれたそう。「ひとつ」には、もう1つの命も宿している。

愛猫と娘の感動物語が児童文学賞を受賞

椋鳩十《むくはとじゅう》

―― 生没年月日 ――
1905(明治38)年1月22日～
1987(昭和62)年12月27日

―― 出身地 ――
長野県下伊那郡喬木村

―― 代表作 ――
『片耳の大鹿』
『マヤの一生』
『モモちゃんとあかね』

―― プロフィル ――
法政大学法文学部国文科卒業後、鹿児島県で教師を務める傍ら、小説『山窩調』を自費出版。豊島与志雄、川端康成などから評価されるが戦時中の言語統制により発禁となり、児童文学に転向。日本における動物文学の第一人者となる。

言語統制に屈せず動物を通じて命の尊さを訴え続けた

長野県の天童川近くにある牧場の次男として誕生した椋鳩十は、稼業や父の狩猟のお供などを通じ、動物と自然に密接に関わりながら幼少時代を過ごした。法政大学法文学部国文科卒業後は、鹿児島県に移住。高等女学校の国語教員として勤務する傍ら執筆活動を行い、初の小説『山窩調』の自費出版に至る。山中で自由を謳歌しながら暮らす若者の姿を描いた本作は、師の豊島与志雄《とよしまよしお》をはじめ、吉川英治《よしかわえいじ》、里見弴《さとみとん》、川端康成《かわばたやすなり》などの称賛を受け、椋は文壇で注目される存在となった。

しかし、『山窩調』は戦時下の言語統制を受け、発禁処分の対象となる。悲観する椋だったが、『少年倶楽部』の編集長・須藤憲三《すとうけんぞう》に勧められ児童文学作家としての新天地を見出し、動物の習性にことよせて、生きることの美しさを描いていくことを決意した。

再出発にあたって、椋は動物の生態調査をはじめ、観察日記をつけた。自宅では犬や鳥など様々な動物を飼い、その中に1匹の猫も仲間入りした。

椋は桃の季節にやってきたその茶トラの猫にモモと名づけた。

モモは娘のあかねの良き遊び相手になった。いつも一緒にいたせいか、まるで人間のような振る舞いをするようになったという。しかし、椋にとっては観察対象であった。「父には動物は動物という意識はあったと思います」とあかねは当時を振り返り、平凡社刊『作家と猫』の中で語っている。そして「特別に猫かわいがりもしなかった」とも明かす。

娘には厳しい観察者の姿を見せていた椋だったが、面白いのはモモが子どもを産むたび、白猫だけを手もとに残していたという事実だ。態度には示さないが、白猫好きだったのだ。

『モモちゃんとあかね』は嫁ぐ娘に捧げた純白の花束

わたしの家には、ねこが七ひきいました。

みんなまっしろのペルシャねこでした。七ひきのねこが、そろっていちどにざしきにとびこんでくるときには、白いぼたんの花びらが、風にはらはらとまうような美しさでした。

これは1971（昭和46）年に発表された『モモちゃんとあかね』の冒頭である。愛猫モモと愛娘あかねさんの子ども時代の実話をもとに編まれた物語で、モモは白いペルシャ猫という設定になっている。その理由は椋が白猫好きという影響もあるかもしれないが、なにより茶トラから白猫に変わったことで読み手の印象は大きく変わる。本を開いた途端、ページの中から飛び出してくる純白のボタンの花を散らしたような白猫たち。白猫が何匹も束になって現れる様子は、どこか白い花束のような印象を与える。

それもそのはず、本作はあかねの結婚祝いとして書いたと椋が明かしている。本村寿一郎著『聞き書き・椋鳩十のすべて』によると「女は結婚したら、必ず家庭生活で苦労するもんだ。（中略）そう思って、娘の青春時代の、純粋な愛情を残しておきたかった」という。

物語の中に、モモが必ずあかねの腕枕で眠り、その特等席は子どもたちにも決してゆずらなかったという話が出てくるが、これも実話なのだそう。白猫の子どもたちは仕方なく、その周りに散らばって寝ていたという。

白いはなびらに囲まれてねむるように、あかねはねこたちにかこまれてねむるのでした。

椋にとって白い猫たちは純粋な愛情のシンボルなのだろう。そして、その美しさを、ここでも花に喩えている。小さな思い出が一輪の花になり、それがたくさん集まってウエディングブーケをかたどっているようなイメージも容易に膨らんでいく。

さて、椋は他にも猫の物語を残している。はじめての動物文学作品集『動物ども』に収録された『猫ものがたり』もその1つだ。捨て猫ペル公と、飼い主である二郎少年との友情物語で、恐水病に侵されたペル公の健気さが涙を誘う。

『モモちゃんとあかね』もまた、涙無くして読めない感動的なラストを迎える。モモが最期の力を降り注いであかねに愛情を伝える様子には、動物を通じて命の美しさを伝えたいと願った椋の思いが込められており、それが今なお人気が衰えない理由でもある。

もともとは、椋が娘のために綴った物語だったが、発表と同年、第一回赤い鳥文学賞を受賞。モモは椋家の愛猫から、時代を超えて求められるみんなの愛猫となった。

不思議な3匹の猫に作家生命を救われた

尾崎一雄《おざきかずお》

生没年月日

1899(明治32)年12月25日～
1983(昭和58)年3月31日

出身地

三重県宇治山田町

代表作

『暢気眼鏡』
『虫のいろいろ』
『あの日この日』

プロフィル

神官を育成する高等専門学校の教授の子として生まれる。中学時代に志賀直哉の『大津順吉』に感銘を受け、早稲田高等学院入学を機に志賀に師事。『二月の蜜蜂』で作家としてデビューし、短編集『暢気眼鏡』で芥川賞を受賞。

臆病な幼な妻と3匹の猫のドタバタ劇が芥川賞を受賞

志賀直哉を師にもつ尾崎一雄は、随筆に程近い私小説を得意とし、戦後「心境小説」と名づけられた私小説の新境地を確立した作家である。1925(大正14)年に発表した『二月の蜜蜂』が高く評価されたことで新進気鋭の新人として注目されたものの、すぐさま停滞期に入り、困窮する生活の中で執筆活動を続けたことでも知られている。

そんな尾崎を再起に導いたのが、若妻の松枝である。松枝は女学校を卒業したばかりで嫁いだ尾崎の後妻。尾崎は1933(昭和8)年、2人の新婚生活をモデルとした短編小説『猫』を発表するとこれが大評判に。再び文壇の関心が尾崎に向けられるようになった。

尾崎の作家人生の要となった『猫』。その内容は非常にユーモラスである。松枝をもとに

尾崎の家族一同と写るトラ（提供：神奈川近代文学館）

した「芳枝」は、世間知らずなうえに、今でいう「天然タイプ」で、貧乏生活はさほど深刻に捉えていなかった。そのくせ過剰なほど臆病で、初産の前後に出会った3匹の猫との掛け合いがとにかく愉快なのだ。

最初に出会ったのは、庭先に現れた不気味な老猫。「それはもう猫という域を超えて何か別の生き物としか思われぬ奴」で、芳枝は大きな悲鳴を上げて「あんなのきっと赤ちゃんを喰べるのよ」と大騒ぎする。尾崎が笑って「油位舐めるかも」と脅すと、慌てて揮発油を隠そうとしたというからおかしい。

次に現れたのはか弱い仔猫だ。これには芳枝も大喜びしてミーチャンと名づけて大はしゃぎするのだが、突如、「赤ちゃんが猫に似てたらどうしよう」と怯えだす。

これですっかり猫嫌いになったかと思えば、奇想天外な結末に。無事に長女を出産した後、看護婦が「玉」という仔猫を抱いて「お乳を分けて欲しい」と訪ねてくると、芳枝は喜んで乳を与えた。そして我が子に向かって「ねえねえ、初枝ちゃん、玉ちゃんと乳姉妹よ。猫と乳姉妹なんて面白いわね」と笑いかけるのだ。

それまでハラハラと妻を見守っていた尾崎は、大笑いしてしまうという結末だ。


やがて「やれやれ」と大声を出すと私はそこへ寝そべった。酷く可笑しくなって、なかなか笑いが止まらず弱った。


この執筆で筆がのった尾崎は次々と続編を生み出し、短編集『暢気眼鏡』として発表した。これがさらに絶賛を受け、1937（昭和12）年、芥川賞を受賞するに至った。

奇跡はまだ続く。芳兵衛と渾名された芳枝が主人公のシリーズが誕生し、1973（昭和48）年には、『芳兵衛物語』としてNHKの銀河テレビ小説としてドラマ化されたのだ。

もしかするとこの猫トリオは「福猫」だったのかもしれない。

今度は尾崎家の末っ子と飼い猫が笑いを呼ぶスターに

トラ、は、うちにいる猫の名で、虎ではない。

1955（昭和30）年、こんな軽妙な出だしで世に放たれたのは、児童文学『トラの話』だ。44歳で胃潰瘍のため倒れた尾崎は、1944（昭和19）年、母の暮らす神奈川県下曽我に疎開を強いられる。その新しい生活の中で迎えたのが、トラである。

トラは、当時小学校2年生の末っ子（次女）の圭子が友人からもらい受けた雄の虎猫だ。もとは鼠退治のために迎えたこの新たな家族が、今度は子どもたちまで巻き込んで騒ぎを起こす。次女は猫を構いすぎるため嫌われる、妻は猫が泥だらけの足で歩き回ると大騒ぎし、長男は猫を外に出したことで叱られ、長女はみてみぬふりで静観、そして尾崎は皆の愚痴を聞かされてカミナリを落とし「こりゃまるで、下曽我猫騒動だ」とこぼす。この愉快な一家の話も『末っ子物語』として1975（昭和50）年にNHKでドラマ化された。

さて、猫を飼いながらも、最後まで愛猫家ではないという尾崎。しかし、猫は日々の刺激となり、彼の命をつないでいくのであった。

猫は手を取って生きていく人生の道づれ

石井桃子《いしいももこ》

厳しい「開墾者」生活を支えた愛猫トム

日本女子大学で英文学を学んだのち、文藝春秋に入社した石井桃子は、当初、編集者として出版業界に従事するひとりだった。転機が訪れたのは、26歳の冬。菊池寛《きくちかん》の紹介で政治家・犬養毅《いぬかいつよし》の家の書庫整理を任された石井は、イギリスの児童書『クマのプーさん』の原書に出会って感動、1940（昭和15）年に最初の翻訳出版を果たす。しかし、発行部数はシリーズ2冊合わせて3000部のみ。戦時下の言語統制の対象となったためだ。

1945（昭和20）年8月、石井は失意にうちに、友人の狩野ときわを連れ立って宮城県鶯沢の山村に移り住み「開墾者」となって、農業と酪農をはじめる。持参した道具は東京で防空壕を掘ったスコップ1本のみ。食べるものにも困る苦しい生活だったというが、そ

生没年月日

1907（明治40）年3月10日～
2008（平成20）年4月2日

出身地

埼玉県北足立郡浦和町
（現・埼玉県さいたま市浦和町）

代表作

『ノンちゃん雲に乗る』
『山のトムさん』
『クマのプーさん』（翻訳）

プロフィル

日本女子大学英文学科卒業後、文藝春秋社、新潮社、岩波書店に勤務。『クマのプーさん』など海外児童文学の翻訳に従事する。1951（昭和26）年、自身作の初の著書『ノンちゃん雲に乗る』で文部大臣賞受賞。戦後の児童文学界に貢献を果たす。

んな彼女らを支えたのが愛猫のトムであった。

トムは石井にとってはじめての愛猫。もともと猫が好きではなかったというが、苦労して収穫した食料を鼠たちに荒らされ、知人宅で生まれた仔猫をもらい受けたのだ。

ところがトムは、鼠駆除の練習のために蛙捕りを教えると、蛙捕りに興じてしまう。しかし、石井は諦めず「スパルタの母のような顔つき」で教育し、トムを名ハンターへと育て上げた。そして人間と猫を「運命共同体」として強い絆で結びつけた。

そんなトムとの暮らしをもとに創作した物語が児童文学の名著『山のトムさん』である。


トムは、私が思いがけずにつくった友だちのひとりです。

（中略）東北にある私の山の家では、トムは、家族の一員です。ということは、そこに住んでいる、いく人かの人間とトムは、ただの「路傍の人」としてではなく、手に手をとって生きていく、人生（？）の道づれということです。


宮城に来る前「世をはかなんでいた」石井は、トムとの暮らしの中で生きる力を取り戻す。終戦後、石井はトムを友人に託して、東京に戻って岩波書店に入社すると、子どもたちに良質な文学を届けるため、岩波少年文庫の立ち上げに尽力した。

あらゆる猫と人が救われる感動作『迷子の天使』

あたしね、この猫どもから教えられてるつもりよ。
どのすてねこだって、こうなれるのよ。
どれだって、天使になれるんじゃない？
ただ、あたしたちがそうしないだけって気がするの……

『山のトムさん』から約2年。石井は再び猫物語を書いた。それが『迷子の天使』である。主人公は普通の主婦・念海夫人。本来は猫好きではないのに次々と迷い猫を保護し、身勝手な人間たちに憤りながらも、猫たちを深く愛し、愛されていく感動物語だ。

夫人のモデルは友人だったが、断片的なエピソードは石井自身の体験談だという。出版から遡ること8年前、石井は家の庭に迷い込んできた傷ついた仔猫を保護した経験を持っていた。もう猫は飼わないと決めていたが、傷が治るまでという条件でキズちゃんと仮の

石井と愛猫キヌ（提供：東京こども図書館）

名前をつけて看病に努めた。ところが石井は、この小さな命が自分の愛情を信じて疑うことのない様子に心を打たれ、傷が治ると名前をキヌと改め、家猫として迎えた。

『迷子の天使』にも、ペンキで塗り固められた猫など、痛々しい猫たちが登場する。やがて、夫人の周りには家族に相手にされない犬や心に傷を負った人間たちまでも集まり、彼女はそのたびに困惑するものの皆を愛で満たし、自らも「教えられた」と笑みをこぼしてみせる。

石井にとって猫は、傷つき、うなだれたとき、教訓をくれる友だった。石井は愛猫を「トムさん」「キヌ嬢」と呼んでいたが、敬称で呼ぶことは、友として当然だったのだろう。

猫文学史上最大の問題作を発表し大炎上

梅崎春生《うめざきはるお》

生没年月日
1915(大正4)年2月15日〜
1965(昭和40)年7月19日

出身地
福岡県福岡市

代表作
『桜島』
『ボロ家の春秋』
『狂ひ凧』

プロフィル
第五高等学校を経て、東京帝国大学文学部国文科に入学。太平洋戦争での軍隊経験を反映した『桜島』が文壇の評価を得て第一次戦後派を代表する作家となる。『ボロ家の春秋』で第32回直木賞受賞。第三の新人の先駆者と称される。

猫を弄ぶ「私小説風フィクション」が非難の的に

歩兵少佐の父から厳しくしつけられて幼少期を過ごした梅崎春生。東大卒業後は、東京市の教育局を得て、海軍の暗号技師となり九州の陸上基地へ赴いた。その戦争経験をもとに誕生したのが『桜島』である。死に直面した人間の心理を鋭く捉え、その独自性から第一次戦後派と称えられた。

梅崎の独自性はその後大いに花開き、戦争作品とは別に、市井の人々をユーモアと風刺を込めて軽妙に描く作品も得意とした。1952(昭和27)年に中間雑誌に発表した『カロ三代』も、そのひとつだ。ところが、独自性が度を越しており、騒動を巻き起こしてしまう。

カロとは梅崎の愛猫であり、小説の主人公「私」の飼い猫の名前でもある。血縁のない猫を3代に渡ってカロと命名したこの男は、猫を折檻するために、硬い竹のハエ叩きを5本も新調する異様な性質の持ち主だった。「カロ叩き」と男が呼ぶ折檻行為は、最初は猫が空腹でもないのに食卓のおかずを狙う意地汚さを罰するというものであったが、やがて数日前の粗相を理由にして激しく打つという異常なものになっていく。男は逃げ出す猫を執拗に追いつめては悦楽に浸る。やがて友人の秋野画家と共謀して、猫に陳腐な罠を仕掛け、ついには取り返しのつかない惨事を招いてしまった。

この尋常ではない虐待に愛猫家たちの怒りが爆発。梅崎のもとに数十通におよぶ抗議の手紙が殺到した。それを受けて梅崎は『猫のことなど』と題したエッセイを発表。それによると抗議文の内容はほぼ同一で、非難、攻撃、訓戒、憎悪、罵倒、そして「以後お前の小説は絶対に読んでやらないぞ。首をくくって死んでしまえ」といったものだったという。

しかし、梅崎は動じなかった。なぜなら『カロ三代』は、私小説の体裁をとった「私小説形式のフィクション」であったため。梅崎自身は大変な愛猫家だったのだ。梅崎の肖像写真には愛猫が寄り添っているものが多く、ここからも猫との良好な関係性がうかがえる。しかし、作品は一人称の体裁をとっており、私小説、もしくは随筆を思わせる。あたかも作者の体験談としか思えない卓越した表現力が功を奏したとでもいおうか、読者が誤解を抱くのもやむを得ないほどの迫真に満ちていた。そこで梅崎は「私はほとんど努力せずして読者に多大のリアリティを確保していることになる」と、この騒動を誇った。

しかし、結局『カロ三代』は書籍化されることなく、現在も全集にかろうじて収録されているだけの禁書のような位置づけとなる。

クスッと笑える辛口おとぎ話『大王猫の病気』

愛猫家の梅崎は猫を題材にした作品を多く残した。それらもまた梅崎流の特異な味付けがなされている。

『輪唱』の中の『猫の話』は、貧乏な若者と飼い猫とのブラックユーモア。斎藤茂吉《さいとうもきち》の短歌「街上に轢かれし猫はぼろ切きれか何かのごとく平たくなりぬ」を土台にしたと思われる内容で、これも一癖あり、愛猫家の皆さんにはお勧めできない。

そんな中、短編小説『大王猫の病気』は、人間社会を風刺した辛口メルヘン。猫森を舞台に、老いぼれ大王猫と家来猫たちの様子を人間社会になぞらえており、クスリと笑える。

尻尾をふっているのは、大王が怒っている時の癖なのですが。もうその尻尾もあちこち毛がすり切れて、なめし色の地肌がところどころのぞいているのです。（中略）そこへ椎の木小路の方から、朝の光をかき分けてオベッカ猫と笑い猫、ぼやき猫が、何か世間話をしながらチョコチョコやって参りました。

縁側でカロを抱く梅崎（提供：かごしま近代文学館）

3匹の家来の性質は名前の通り。大王の「病気」を直そうと、医者のヤブ猫に往診を依頼するのだが、この医者の腕前も名前に準ずる。

猫の狡猾さと人間の愚かさと見事に融合させた本作。ずば抜けた文才を誇る、梅崎ワールドの入門編として堪能したい物語である。

愛猫と毎晩飲むウイスキーが至高の時間

池波正太郎《いけなみしょうたろう》

シャム猫にウイスキーを飲ませ一緒に晩酌を楽しんだ

招き猫発祥の地としても知られる東京・浅草に生まれた池波正太郎。池波家も昔から猫を飼っており、「猫のいない自分の家など考えられなくなってしまっている」と随筆集『日曜日の万年筆』で語る。しかも、池波にとって猫は側にいるだけの空気のような存在とは違う。「少年の頃から猫という動物が好きである」と、随筆『猫』で力強く語るほど、生まれながらの愛猫家なのである。

戦争直後、戦災で家が消失した後も猫を手放すことはなかった。住居をなくした池上は、一時期、勤務先である役所の机の上に布団を敷いて寝泊りしており、そこでもルルと名づけた雌猫を飼っていたという。

生没年月日

1923(大正12)年1月25日～
1990(平成2)年5月3日

出身地

東京府東京市浅草区
(現・東京都台東区浅草)

代表作

『鬼平犯科帳』
『剣客商売』
『仕掛人・藤枝梅安』

プロフィル

下谷の西町小学校卒業後、茅場町の株式仲買店勤務を経て、東京都の職員に。20歳で長谷川伸の門下に入り、新国劇の脚本・演出家として活躍したのち小説家となる。1960(昭和35)年、「錯乱」で直木賞受賞。歴史・時代小説が人気を博す。

ルルは不思議な猫だった。日中は、池波の足元で眠っているか、外に出かけるなりして、仕事の邪魔は決してしない。そして夜には帰ってきて、池波の布団の枕元にうずくまる。一見するとおとなしい猫なのだが、深夜になると信じられない行動をとっていたという。

深夜、ふと目覚めると、彼女が何に浮かれてか、私の枕元で後足二つをぴいんと張って立ち前足をフラフラ動かして、首をふったり、妙なうなり声を低く発したりして、踊っているのをよく見かけた。

しかも、ルルは池波の視線に気づくと素知らぬ顔で眠ってしまい、どんなに待っていてもそれきり踊らなかったらしい。ちょっと信じ難い話であるが、池波は「私は、この動物に、神秘的で玄妙なものを感じないわけにはいかなかった」と話す。

池波の前では猫は人に化けるのか。池波が夜、シャム猫のサムの小皿にウイスキーの水割りを分けてやると、ペロリと平らげ晩酌を楽しんだという。一緒に与えていたチーズが目当てだった可能性もあるというが、歴代のシャム猫は3匹とも酒を嗜んだそうだ。

作品には猫も愛猫者もゾロゾロと登場する

池波の作品には猫はもちろん、愛猫家もしばしば登場する。『鬼平犯科帳』の主人公・長谷川平蔵も大の猫好きだ。トラ猫の五郎を可愛がっており、第3巻の『麻布ねずみ坂』の中では、医者に「ひだまりで猫を抱いているようなお人柄」といわれて、鬼平はまんざらでもない様子を見せる。そしてその医者も5匹の猫を飼う愛猫家という設定だ。

『剣客商売』の秋山小兵衛は大の猫好きなうえに、猫にも大変愛されている。短編『おたま』には、おたまという雌の白猫と、おくろという雌の黒猫が登場する。おくろは非常に気が利く猫で、小兵衛が寝そべったまま煙草膳に手を伸ばすと、器用に尻で煙草膳を押しながら小兵衛に届けるのだ。また、おたまの賢さ、献身的な優しさは涙を誘う。

手を差し伸べると、おたまは身をひるがえして、庭から堤の上へ通ずる細道のところまで行き、振り向きざまに、甲高い声で鳴いた。

鳴いて、また、小兵衛を見つめている。

(はて……?)

このような声でおたまが鳴くのは初めてであった。

小兵衛も、おたまを見返した。

と……おたまは、またも縁の下まで駆けもどり、

「にゃあん……にゃん、にゃん……」

三声、鳴くや、反転して元の細身のところへもどり、振り返って、小兵衛を見つめる。

ここに至って、秋山小兵衛の老顔が、わずかに引きしまってきた。


これは小兵衛と元飼い猫おたまとの再会場面。おたまは、すでに別の家で飼われていたのだが、今の主人が悪党に襲われたため、小兵衛に助けを求めにきたのだ。この活躍によって今の主人は救われる。そして、この主人は7匹の猫を飼っているということが判明する。

池波自身も愛猫に救ってもらった経験がある。ネネという猫が家出から出戻ったのはいいが、他の家猫にいじめられており、池波はそれを気にかけていた。そんなある日、執筆が5～6日間も滞ってしまい苦しんでいたところ、ネネが物思いに耽っている様子を見た瞬間アイデアが湧き、執筆が一気に進んだという。あまりの嬉しさに池波は、生の車海老を褒美に与えた。嘘のような本当の「猫の恩返し」である。

壊れかけた家庭の中で猫に癒しを求めた

島《しま》尾《お》敏《とし》雄《お》

生没年月日

1917(大正6)年4月18日～
1986(昭和61)年11月12日

出身地

神奈川県横浜市

代表作

『死の棘』
『夢の中での日常』
『出孤島記』

プロフィル

輸出絹織物売込商を営む両親の長男として生まれる。九州帝国大学文学部文科卒業後、特攻隊指揮官として奄美群島の加計呂麻島で待機。長田ミホと恋仲に。『孤島夢』など戦後文学が評価された他、『死の棘』で読売文学賞などを受賞。

動物嫌いだったが妻ミホと子どものために迷い猫を迎える

10年間に及ぶ浮気が原因で、妻ミホを狂わせてしまった島尾敏雄。そんな妻に寄り添い、凄まじい闘病生活を続けた経験談を赤裸々に綴ったのが代表作『死の棘』である。猫は、その冒頭から登場し、夫婦の不和を象徴する存在として描かれていく。

「ほう、ぼうや、もう夢をみるのかねえ。どんな夢だったい」と私は救われるように妻の気分をそちらに向けようと試みる。「玉のお墓がうごきだしたんだよ。そうしたらね。玉が生きかえっちゃった」

と伸一は息をはずませて、自分のみた夢を親たちに報告したが、それは夢のはなしとしていっそう悪い。玉は妻が寂寥をまぎらわすために飼った猫だが、先ごろ死んで、庭の隅のいちじくの木の下にうめた。玉のことを言えば、かわいがったその猫のことばかりでなく、それに重なってその頃の夫の姿態がぶつぶつ吹き上がってくるのだ。

島尾が妻子を連れて神戸から東京の小岩に引越したのは35歳のとき。玉を飼いはじめたのはその頃だ。小岩時代の経験をもとに綴られた短編集『硝子障子のシルエット』の『居座り猫』には、玉を飼いはじめた経緯が書かれている。それによると、島尾は両親が動物嫌いだったため子どもの頃からペットを飼った経験がなく、人間以外の生き物と同居することにためらいを持っていたという。しかし、妻が鼠駆除のため猫が欲しいといいだし、そこに仔猫が家に上がり込んできた。子どもたちが大喜びしたことと、仔猫が可愛かったことから島尾ははじめて猫を家族として受け入れたと綴られている。

さらに、続編にあたる『玉の死』には、島尾が猫に惹かれていく様子が書かれている。

少し抜け毛が多過ぎるような気もするが、きっと玉はおうようでかしこい性質なのだ。がつがつしないのだ。どこか貴族的な感じがしないでもないではないか。

そして「外出から帰ると真っ先に玄関に迎えにきてくれる」と、猫の虜になっていく。猫に1番に救われたのは妻だった。ある日、気分が悪くなったミホが畳に倒れ込んでいると、子どもたちは構わず遊んでいたのに、玉だけはすっ飛んできて心配そうに鳴きながら体の周りを回っていたという。そしてミホは島尾に向かって「あたしを本当に心配してくれるのは玉ちゃんばかりだ」とこぼす。島尾はその言葉を冗談半分だと受け取ったのだが、それからまもなく、妻は夫の10年に及ぶ浮気を知って発狂してしまうのだった。『死の棘』の中で島尾はこう綴る。

玉を飼っていたころが、一番絶望的なときだったと言えなくもない。

それからまもなく玉はこの世を去ってしまう。近所の猫に噛まれた傷が化膿して衰弱してしまったのだ。心配したミホは、息子に玉を押さえ付けさせて強引に牛乳を流し込んだのだが、玉は暴れだし、そのままぱったり倒れて動かなくなってしまった。子どもと妻は激しく落胆した。しかし、島尾はその夜も外泊をしていたという。

玉の死がきっかけでミホは自殺を思いとどまり豹変

「もう、あたしはあきらめた。いくら思っても仕方がないことだわ。もう誰のことも、あなたのことも、子供のことも、心配しないんだ。いくら心配しても、死ぬ時は死ぬんだから。玉が死ぬのをみていてそう思っちゃった。それよりも、生きている時をたのしくするようにするの」

『猫の死』の続編にあたる『ある猫の死のあとさき』の中で、ミホはこう宣言する。猫の死は悲しいことではあったが、マイナスなことばかりではなかった。死に向かっていたミホの心は、猫の死をきっかけに「開き直り」変わっていったのだ。

一方、島尾は、寂しさにたえきれず、すぐに近所の米屋で生まれた仔猫をもらいうけてしまう。そのときは玉との違いを思い知らされ、余計に玉が恋しくなったというが、その後、猫は島尾家になくてはならない存在になる。一家が奄美大島に転居後も、猫は代を変えて寄り添った。そして妻は猫との暮らしを経て、自分らしさを取り戻していったという。

猫好きが昂じて理性さえ失いかける猫狂

豊島与志雄《とよしまよしお》

―― 生没年月日 ――

1890(明治23)年11月27日～
1955(昭和30)年6月18日

―― 出身地 ――

福岡県下座郡福田村大字小隈
(現・朝倉市小隈)

―― 代表作 ――

『生あらば』
『野ざらし』
『レ・ミゼラブル』(翻訳)

―― プロフィル ――

東京帝国大学文学部仏文科に入学し、芥川龍之介、菊池寛らと第3次『新思潮』を刊行。卒業後『レ・ミゼラブル』の翻訳で注目される。法政大学、明治大学の教授を務め、小説家、児童文学作家、翻訳家、仏文学者など幅広い分野で活躍。

猫と犬、どっちが偉いか教授同士で大喧嘩

「猫好きな人は、犬をあまり好かない」

そう断言するのは「猫の先生」のあだ名で呼ばれていた豊島与志雄である。豊島は、芥《あくた》川《がわ》龍《りゅう》之介《のすけ》、菊池寛、山本有三《やまもとゆうぞう》、久米正雄《くめまさお》らが参加した、第3次『新思潮』の中心的メンバーとして活動した、大正期を代表する作家である。晩年には太宰治《だざいおさむ》と親交を深め、人前では快活を装う太宰が「愚痴をこぼしに来ました」と、訪ねていくほどの有徳の人であった。

しかし、猫に関わることとなるとガラリと様子が変わってしまったようだ。

「人間と同じ家屋の中に住み、同じ食物を食べ、同じ布団の中に眠り、而も跣足で屋内屋外を闊歩するなんか、人間以上だ。それというのも、猫は最も清潔な動物だからです。犬の臭気（中略）あの体臭はもう犬にとって致命的です」

随筆『猫先生の弁』によると、豊島は、なじみの小料理屋でよく顔を合わせる犬好きの美術学校教授と、先述のような犬と猫、どちらが偉いかという議題で何度も喧嘩をしていたという。2人は長々と水掛け論を繰り返した末、最後には犬の先生は猫を飼い、豊島自身は犬を飼ったことがないと勝ち誇る様子は、有徳どころか子どもじみている。ちなみに、「猫の先生」の呼び名で分かる通り、豊島自身も当時、文学部の教授であった。

理性を狂わせるほど猫至上主義を貫いた豊島だが、猫ならば無条件で好んでいたわけではなかったようだ。様々な作品で、異色の差毛が1本もない純白か漆黒、しかも尾が長い日本種のオスこそ素晴らしいと繰り返しており、『猫性』の中には、そういうものがいれば「見当たり次第幾匹でも飼いたい」とも述べている。

当時、流行していた海外種にも興味を示さなかったというからすごいこだわりだ。猫好きで知られる大佛次郎からシャム猫の仔猫をもらう話が進んでいたにも関わらず、「純白でないからやめた」といい、白猫ばかり3匹を同時に飼っていた時期もあったそうだ。

しかし、愛猫家の性か、そんなこだわりも猫の一存で覆ってしまう。

随筆『猫』に登場する愛猫は「頭と背が赤茶地に黒先の虎斑の、脛から腹や足先にかけて白い、尾の短い、普通の牝猫」という理想とはかけ離れた迷い猫だ。猫は唯物主義といわれ、引越しすると主人を簡単に捨ててもとの家に戻ってしまうものだが、この猫は引越しをしても豊島に馴染んでいた。残念なことに最後の出産で2匹の仔猫をすぐに亡くしてしまうのだが、他所からもらった純白の仔猫を我が子のように育てたという。その愛情に豊島は惚れた。理想とは違ったが、人に自慢するほどにかけがえのない愛猫となった。

猫に関するエピソードに事欠かない豊島であるが、極めつけは「猫を食う会」の話だろう。『猫先生の弁』によると、野上彰《のがみあきら》から「猫好きである以上、猫の血の一滴ぐらいは体内に入れておくべきだ」と提案を受けたとある。しかし、大佛次郎に反感を買い、また調理してくれる料亭が見つからず、実行には至らなかったそうだ。最後は、布団に潜り込んでくる愛猫を慈しみながら、話がうやむやに終わったことに安堵し、騒動は幕を下ろす。

白猫と黒猫が大活躍する童話『シロ・クロ物語』を連載

シロとクロは、ひとり者のお爺さんが子供のように可愛がっているものです。(中略)。そしてたがいにしたしみあっているうちに、猫はだんだんお爺さんの言葉がわかるようになり、なほ人間の言葉がわかるようになりました。そしてお爺さんの方では、猫の目色や顔色がわかるようになり、猫の言葉がわかるようになりました。本当に親しみあうと、人間と動物とでも、たがいに話が通じるものらしいのです。

豊島作品には、小説、随筆ジャンルを問わず猫がたびたび登場するが、白猫・黒猫への溺愛ぶりがひしひしと伝わってくる作品がある。それが1937(昭和12)年に『幼年倶楽部』に連載した少年文学『シロ・クロ物語』だ。

ポン公少年と、美しく賢い白猫シロと黒猫クロが協力しあって、海賊のアジトに乗り込んでいく冒険劇。2匹の猫が、薬屋の主人と親しむうちに「お互いの言葉を理解し合うようになった」という設定からは、豊島自身の憧れが伝わってくる。

人と猫とは、言葉を超えた友情が成立する。そう信じさせてくれる隠れた名作だ。

愛猫のため机の中に煮干しを蓄えていた

三《み》島《しま》由《ゆ》紀《き》夫《お》

生没年月日

1925(大正14)年1月14日〜
1970(昭和45)年11月25日

出身地

東京府東京市四谷区
(現・東京都新宿区四谷)

代表作

『仮面の告白』
『潮騒』
『金閣寺』

プロフィル

父は元農林省水産局長。東京帝国大学法学部に入学、日本浪漫派に傾倒する。卒業後は大蔵省に勤務するが9ヶ月で辞職。『仮面の告白』で作家としての地位を確立する。歌舞伎に親しみ劇作家としても活躍。市ヶ谷駐屯地にて割腹自殺。

捨て猫がいたら放っておけずに連れ帰るほどの猫好き

祖父の代から続く官僚エリート一家に生まれた三島由紀夫は、学習院初等科時代から、詩や短歌を雑誌に投稿していたという頭脳明晰な文学少年だった。幼い頃から神童とも呼ばれ、あまりに詩歌の完成度が高いため、教師たちは盗作を疑ったほどだった。そして幼い頃から猫が大好きだったという。

若い頃には怖がりんぼで、痛がりんぼで、道端に捨てられた犬と猫があると、見過ごしに出来ず、抱き上げては、家に連れて帰らずには居られないような、細い、か細い性格でしたよ。

そう語るのは、三島と若い頃から親交があり『鏡子の家』の主人公・鏡子のモデルとなった湯浅あつ子である。岩下尚史著『ヒタメン《直面》 三島由紀夫若き日の恋』の中でこのように明かしている。

また同書には三島の結婚前唯一の恋人である豊田貞子の話も掲載されている。彼女は1955（昭和30）年、はじめて三島の家を訪ねたときの印象をこう語る。「それこそ化けそうな猫が這い出て来ましたら、公威（三島の本名）さんが丁とつまんで、はだけた浴衣のところに入れ、『チルと云うんだ』と、云ったことです」。

三島は彼女との1週間分のデート費として当時のお金で7万円もかける大盤振る舞いだったという。だからこそ、老いた猫をふところに抱く素顔の三島を意外に思ったのだろう。

そんな三島だったが、結婚後は最愛の猫との暮らしを諦めざるを得なかった。妻の瑤子が大の猫嫌いだったため、愛猫を離れに住んでいる両親に預けることになったのだ。同じ敷地内とはいえ、いつも抱いていた存在が離れてしまうのは寂しいものである。

それは猫も同じだったようだ。猫は夫人が寝静まった頃、窓からそっとやってきた。愛猫との逢瀬は、猫嫌いで嫉妬深い妻には絶対にバレてはならない秘密だ。そこで三島は、いつ猫が遊びに来てもいいように、机の引き出しに猫に与えるための煮干しを隠していたという。

『金閣寺』の中でこの世の美の代表を「猫」と説いた

幼い頃から猫と親しんだ三島だったが、猫が登場する作品は意外にも少ない。だからこそ、美と喪失の葛藤を描いた代表作『金閣寺』に登場する猫の話はより印象に残る。

「『南泉斬猫』か」と柏木は、（中略）答えた。（中略）南泉和尚の斬ったあの猫が曲者だったのさ。あの猫は美しかったのだぜ、君。たとえようもなく美しかったのだ。目は金いろで、毛並はつややかで、その小さな柔らかな体に、この世のあらゆる逸楽と美が、バネのようにたわんで蔵《しま》われていた。猫が美の塊だったということを、大ていの注釈者は言い落としている、この俺を除けばね。ところでその猫は、突然、草のしげみの中から飛び出して、まるでわざとのように、やさしい狡猾な目を光らせて捕われた。それが両堂の争いのもとになった。

三島は、修行僧さえ惑わせるほどの「美」の象徴に猫を選んだ。そして、その「魔性」の美しさを叙情詩のように艶やかに語った。

ちなみに『南泉斬猫』とは、有名な禅宗の古事。南泉普願の門弟たちが美しい1匹の猫を巡って論議対立していたとき、南泉は猫を斬って対立を止めた。南泉が高弟の趙州にこの話をすると、趙州は草履を頭上に乗せて立ち去ってしまった。そこで南泉は「趙州がいたら猫は殺されずにすんだ」と悔やんだという逸話だ。

他にも、書簡風の随筆『猫「ツウレの王」映画』の中には、こんな下りがある。

　あの憂鬱な獣が好きでしようがないのです。芸を覚えないのだつて、覚えられないのではなく、そんなことはばからしいと思つてゐるので、あの小ざかしいすねた顔つき、きれいな歯並び、冷たい媚び、何とも言えず私は好きです。

むやみに馴れ合うことを避け、ひたすら己の信じた美学だけを貫く。そんな猫に三島は自分を重ねていたのかもしれない。

貧乏時代も猫と暮らし最愛の猫を剥製に

開高健《かいこうたけし》

食うものに困るほど貧しくても必ず猫がいた

食通、愛釣家として有名な開高健は、愛猫家としてもよく知られている。エッセー集『白いページ』の『励む』によると、「小さいけれどちょっと品のいい庭」に、決まって午後の2時か3時に、顔つきの悪い図太い野良猫がやってきたのだそう。猫は領地検分といったふうに草や土を嗅ぎ回り、開高がせっせとパン屑を巻いて集めた野鳥に「田舎の古バスのような太い腰を振って」とびかかった。愛鳥家であれば、慌てて猫を追い払うところだ。しかし、開高は黙認していたばかりか、ある日、他の猫を連れてやってきたときには「うらやましい」という感情さえ示す。しかも、かなりみとれていたのだろう。その猫が縁側のガラス戸に顔を突っ込んで、一声威嚇をしていったというからおかしい。

生没年月日

1930(昭和5)年12月30日～
1989(平成元)年12月9日

出身地

大阪府大阪市天王寺区

代表作

『パニック』
『オーパ!』
『裸の王様』

プロフィル

大阪市立大学卒業。壽屋(現・サントリー)で広報活動を行う傍ら、執筆を続ける。『裸の王様』で芥川賞、『玉、砕ける』で川端康成文学賞、ベトナム戦争など現地取材に基づく作品群が菊池寛賞に輝くなど、数々の受賞歴を誇る。

また同書の『抜く』では、「親子三人がブタの尻尾を食べるしかないような窮地におちこんで毎日毎日を無我夢中にあがいてすごしたことがあったけれど、そういうときでもネコの1匹はきっと部屋のどこかにいた」と明かしている。当然、家族として迎える猫は、野良猫だった。開高は、猫の見た目や品種には一切こだわりを持っていなかったようだ。彼は猫の猫らしさを愛した。そして、魅力をこう語る。

ヒトの暮らしの核心中にのうのうといすわることを許されながら、これくらい狷介孤高に独立を守りぬいて、徹底的に好きなものは好ききらいなものはきらいと峻別できる精神も珍しい。（中略）いっさいの行動の自由を持ちつつ排斥されることなく、孤高に終始しながらのらりくらりと怠けてくらすという、さまざまな矛盾を抱きつつ諸矛盾を精妙に融合させてかえってそれを魅力に転ずる……

開高が可愛がった愛猫キン

そして、この巧妙な処世術を猫から学ぶべく「貿易マンも、役人も、学者も、経営者も、明日から猫を飼いなさい」と結ぶ。

開高にとって猫は家族であると同時に、腕利きのコンサルタントでもあったようだ。

愛猫キンとの別れを惜しみ剥製にして愛し続けた

そんな開高が一度だけ、お金を出して手に入れた猫がいた。再び『抜く』を参照すると、知人の勧めで「従来の方針を変えて、お金を出して買った猫を飼ってみることにした」とのこと。そして、血統書つきのペルシャ猫のメスを迎えたのだが、ここで開高はついに猫のルックスに溺れてしまう。その仔猫は「全身に毛がふさふさしていて足は太く、顔はまるく、足も尾も太く（中略）、目も大きくてまるい。子ネコのときのむくむくとしたかわいさったらなくて」と、人が変わったように見た目の可愛いさを褒め称える。

ところが、そのペルシャ猫は歳を取ると姿が一変してしまった。すると開高は落胆し「顔はうっかりするとネコというよりはミミズクに似ている」やら、タヌキだ、アライグマだと嘆く。やはり猫の見た目は、開高にとっては普遍的な魅力とはならなかったらしい。

そのペルシャ猫が8歳を迎えた年、よそで恋をして4匹の仔猫をもうけた。相手の猫は近所の日本猫と推測され、開高は生まれた仔猫をペルシャとジャパンを組み合わせて「ペルパン」と呼んだ。仔猫は雄と雌が2匹ずつ。開高はそのうちの1匹、雌猫のキンを手もとに残してとても可愛がった。

キンは顔と背中一面が三毛で、手や腹は純白の毛で覆われた、ペルパンの名がぴったりなハーフ猫。ペルシャ猫ほどの長毛ではないが、コロコロと丸いフォルムと太く立派な脚は見事なほど母親譲りで、とても愛らしい。それでいて目つきはキリリと鋭い。開高は随筆『猫と小説家と人間』の中で、猫の魅力について「のうのうと昼寝するが、ときたまうっすらと開ける眼はぜったいに妥協しないことを語っている」と書いており、その理想にもキンはぴったりと当てはまる。

そんな開高は、これまで不思議と猫の最期の瞬間に立ち会ったことはなかったという。そしてキンもまた、開高がライフワークとする海外取材旅行中に、天国へと旅立ってしまった。開高は深く悲しんでキンを剥製にする決断をした。そして眺めのいい窓辺へと座らせて、生涯、手放すことはなかった。

キンが亡くなった以降、開高は新しい猫を迎えることはなかったそうだ。

まだある 日本の文豪と猫

猫好きには猫撫で声などということばもあるくらいで
飼ってみれば自然知らない間に
その声でものをいいかけるようにさせられてしまう

（幸田文『ふたつボン』より）

人間に古来もっとも関わり合いの深かった
この動物が存在せぬ人の生活は、私には考えられない

（池波正太郎『猫家族』より）

自分の迷惑を他人の家へ投げ込んで
これでこちらは気楽になったと
考えていられる神経にはおどろく
捨てられた猫を私は捨てられない

（大佛次郎『ここに人あり』より）

猫は人の顔色を読むと言われているが、
往々、最もよく人の顔色を無視する

（豊島与志雄『猫性』より）

人に反感を起させず、
餌でも愛情でも欲しいとなれば甘えて
好きなだけとっていく。
ネコは家畜の生活をする野獣だといいたい

（開高健『白いページ』「抜く」より）

第2章
海外の文豪と猫

南国の豪邸で約60匹の「幸福の猫」と暮らした

アーネスト・ヘミングウェイ

キューバの豪邸には猫たちの専用寝室を完備

「パパ・ヘミングウェイ」の愛称でも知られる彼は、ハードボイルドな作風と同じく、釣りや狩猟、ボクシングを趣味とし、三度の結婚を経験するなどライフスタイルもワイルドを極めていた。

また、海外の猫好きの作家として真っ先に名前があがるのもヘミングウェイだ。『HEMINGWAY 65 CATS』の著者・和田悟の研究によると、猫と暮らすようになった経緯を知る記録は残されてないが、1930年代、キーウエストに住んでいた頃に知人女性から譲り受けたのが最初という説が有力のようだ。当時、毎日のように釣りを楽しんでおり、猫たちにそのおこぼれを与えているうちに相思相愛となっていったようだ。

生没年月日

1899年7月21日～
1961年7月2日

出身地

アメリカ合衆国
イリノイ州オークパーク

代表作

『老人と海』

プロフィル

2回の戦争に参加。ハードボイルドな作風で知られる20世期のアメリカ文学史を代表する作家。『老人と海』で名声を得て1954年ノーベル文学賞を受賞。

愛猫の数が一気に増えたのは、2番目の妻と離婚後、3番目の妻とキューバの豪邸に移り住んだのがきっかけ。そこには猫専用の寝室もあつらえ、知り合いの漁師から猫を3匹譲り受けるや、その子孫がどんどんと繁栄し、最大で68匹まで増えたのだという。

また、ヘミングウェイの家の猫は6本指を持つものが多く、これは最初に譲り受けた猫の影響だという。忌み嫌うものもいたが彼は「幸せの猫」と呼んで可愛がった。

中でも一番に可愛がったのが、ボイシー・ド・アングルス。このボイシー、自分を人間だと思っていたのか、他の猫たちが夢中で餌を貪っていても、その輪には加わらず、悠然とヘミングウェイの好物のマンゴーやアボカドを食べていたという。また、他に猫が進入できない住居スペースの中にも堂々と足を運んでくるこの猫に、ヘミングウェイは特別待遇を施し、ともに食卓で食事をすることを許していた。ボイシーに語りかけるヘミングウェイの声は甘く、ボイシーもまたゴロゴロと愛らしく答えたといい、まるで恋人同士のようだったらしい。

ボイシーは、晩年の書『海流のなかの島々』にも登場し、癒しを振りまいていく。

また、ヘミングウェイの猫愛の強さは、その数だけが表しているわけではない。遺作『移動祝祭日』には、最初の妻とパリで暮らした日々の記録が綴られており、当時の愛猫が生まれたばかりの子どもの世話をしていたという記述がある。一般的には猫は生まれたての赤ん坊に近づかせないものだが、ヘミングウェイはよほどこの猫を信頼していたのだろう。子どもの遊び相手にしていたという。そのうち、猫は母性本能を働かせるようになり、子どもの見知らぬ人が近づくと声を上げて威嚇したというから、なんとも微笑ましい。

散文詩のように美しい小さな名作『雨の中の猫』

ヘミングウェイが書いた猫の物語の中で、とても美しい短編がある。それが『雨の中の猫』だ。

フランスのホテルの一室が舞台。1組のアメリカ人夫婦が、窓の外を眺めると、雨がふりしきる中、1匹の仔猫がうずくまっているのを見つける。妻は慌てて仔猫を連れにいくのだが、姿が見えない。すると、途端に彼女の不満が爆発してしまう。

「とにかく、あたし、猫が欲しいわ」と彼女が言った。「猫が欲しいわ。いますぐほしいわ。髪を伸ばしたり、何か楽しいことをしていけないなら、猫ぐらい、いいでしょう」

ジョージは聞いていなかった。彼は本を読んでいた。（中略）
だれかがドアをノックした。
「おはいり」とジョージが言った。彼は本から目を離した。
戸口にメイドが立っていた。大きな三毛猫をしっかりだきかかえ、ぶらさげていた。

ヘミングウェイはボイシーを特に可愛がった

猫を届けるようにいったのは、ホテルの支配人。取り止めもない話だが、散文詩のような美しさがある。雨に濡れていた哀れな仔猫が、ぶらさげるほど大きな三毛猫に変わってしまったのが優しい笑いを誘う。そして、支配人はいかにしてこのドラ猫を捕まえたのか。妻の気分は鎮まったのか。そのとき、猫はどんな顔をしていたのか？

不思議な余韻の中、ヘミングウェイの猫を愛でる穏やかな感情に隠れているように思う。

貧困の中で猫を抱いて暖をとっていた

エドガー・アラン・ポー

生没年月日
1809年1月19日〜
1849年10月7日

出身地
アメリカ合衆国
マサチューセッツ州ボストン

代表作
『アッシャー家の崩壊』

プロフィル
旅役者夫婦の次男として生まれる。バージニア大学に入学後、処女詩集『タマレーンそのほか』を発表。フランス象徴派から高い評価を受けた。

輝かしい名声とは裏腹にその人生には死がつきまとった

生まれはボストン。旅役者の両親の次男として誕生したエドガー・ポーは、生まれてまもなく俳優の父が蒸発、2歳で女優の母を亡くすという、幼くして過酷な運命を強いられた作家である。

幸いにも、バージニア州リッチモンドに住むジョン・アランに養子として迎えられた彼は、エドガー・アラン・ポーとなり、養父の慈悲を得てバージニア大学に進学を果たした。ところが、不足した学費をギャンブルで補おうとしたことが原因で、再び、運命の歯車が狂い出す。お金どころか、借金を増やす結果になり、ポーは大学を中退するまでに追い込まれてしまった。

陸隊入隊を経て、最初の詩集を発表したのは18歳。『タマレーンそのほか』をボストンで出版した。2年後には第二詩集『アル・アーラーフ、タマレーンほか小詩』を発表し、精力的に詩作を続ける。

また、短編小説の制作をはじめたのは24歳の頃。以降、評論家、ジャーナリストとして活躍するようになり、32歳で『グレアム雑誌』の編集長に就任。代表作のひとつ『モルグ街の殺人事件』をはじめとした恐怖小説、短編小説を積極的に発表する土壌を確保するに至った。当初5000部だった発行部数は3万7000部にまで跳ね上がり、一気に人生は好転したかに感じられた。

ところが人生はポーに厳しかった。功績に賞賛は得ても、給料は年俸800ドルのまま。貧しい結婚生活を逆転させることは叶わなかったという。

少し時間を戻すが、ポーが結婚したのは27歳。当時、13歳8ヶ月のヴァージニアを21歳と偽って入籍したはいいが、思うように収入を得ることができず、生活は困窮する一方だったという。ヴァージニアがピアノを弾いて歌を歌う仕事に就くと、何とか生活を維持することはできた。しかし、歌っている最中に血管が破れるという不幸に見舞われ、いよいよ極度の貧困に追い込まれていった。やがて彼女は肺病も患ってしまい、病床に伏せったまま静かに息を引き取った。

亡くなった際、ヴァージニアは極寒の中で、ポーのコートを羽織り、胸に猫を抱いてわずかな暖をとっていたという悲しい逸話が残っている。この猫はポー家の愛猫で、カタリナと名づけられたべっ甲猫。ヴァージニアの命を救うことはできなかったが、愛する夫を残して独り旅立ちを迎えた女主人の、心の支えにはなったのだと信じたい。

ポーが亡くなったのは、わずか2年後だった。1849年10月、酒場の前に倒れていたところを発見されるが、意識の回復を待たず、あっけなくこの世を去ってしまった。まるでポーの描いた怪奇小説のような最期である。ポー40歳。新刊の準備に勤しんでいた矢先だったという。

猫好きは閲覧要注意の短編小説『黒猫』

恐怖小説、短編小説を次々と発表するポーが、猫が登場する短編小説『黒猫』を発表したのは1843年8月、雑誌『合衆国土曜郵便』誌上だった。

私がこれから書こうとしているきわめて奇怪な、またきわめて素朴な物語については、自分がそれを信じてもらえるとも思わないし、そう願いもしない。

そんな殺人犯の独白からはじまるこの物語。動物が好きな若い夫妻の家が舞台で、主人公であるこの家の主人は、鳥類、金魚、立派な犬、ウサギ、小猿など様々な動物がいる中、「体じゅう黒く、驚くほど利口」な黒猫を最も可愛がっていた。黒猫の名前はプルートォ。冥府の王の名前だ。

人懐っこく「往来までついてこないようにするのには、かなり骨が折れるくらいであった」という可愛い猫だったが、主人公は酒癖が悪く、些細なことでこの黒猫を殺めてしまう。凄惨な虐待の末、命を奪われたプルートォ。その冥府の王の反撃なのか、男の家は焼け落ち、一夜にして財産を失ってしまう。たった1枚の仕切り壁だけを残して。男が覗き込むと、仕切り壁の白い表面には首に縄をかけられた黒猫の姿が刻まれていた。

この事件を発端に、精神が崩壊した主人公は、再び手に入れた黒猫をまた殺めようとして、誤って妻を斬殺してしまうのだが……。

身の毛のよだつこの物語。愛猫家のポーはなぜこのような猫をいたぶる話を生み出したのか。そして、どうして彼自身が奇怪な死を遂げることになったのか、謎は尽きない。

30匹以上の愛猫にユーモラスな名前を命名

マーク・トウェイン

生没年月日

1835年11月30日～
1910年4月21日

出身地

アメリカ合衆国
ミズーリ州フロリダ

代表作

『ハックルベリーフィンの冒険』

プロフィル

6人兄弟の5番目として誕生。新聞記者を得て、1865年にユーモア作家としてデビュー。『ハックルベリーフィンの冒険』は米国文学最高傑作と称される。

猫に名前をつける際も遊び心は欠かさない

アメリカ南西部ミズーリ州の開拓村で生まれたマーク・トウェインは、アメリカ文学に多大な功績を残した文学者の1人である。植字工、水先案内人、鉱山探鉱、新聞記者など様々な職を経験したのち、1865年に『ジム・スマイリーと彼の跳ね蛙』を発表すると、ユーモア作家として注目を浴びるようになった。

その後は『トムソーヤーの冒険』『王子と乞食』などの小説をはじめ、持ち前のユーモアを活かし、講演会やエッセイなど活躍の場を広げていった。

大の猫好きとしても知られ、大久保博編・訳『また・ちょっと面白い話』によると、「パパとママの違う点は、ママの好きなのは道徳、パパはネコ。」といわれたというエピソードが紹介されている。

生涯に飼った猫は30匹以上に及び、その1匹1匹に命名する際もユーモア作家の力量を大いに発揮した。アリソン・ナスタシ著『文豪の猫』によると、教会にいく途中に拾った猫にサタンと命名し、その猫が雌だと判明するとシン（罪）に改名したという。またお気に入りの仔にサワー・マッシ（酢豆腐）と名づけたり、ソクラテスやゾロアスターなど、猫とはかけ離れた印象の名前を与えたりすることもしばしばだった。

猫の言葉を理解し「口のきけない獣はいない」と力説

マーク・トウェインにとって、猫は身近な存在だった。作品に中にもしばしば猫が登場し、重要なキーポイントとなることもある。

『王子と乞食』は、貧しい少年とやがて国王になる王子の立場が入れ替わってしまう少年少女向けの物語だ。王子は身寄りのない子どもと間違われて、とある農婦の世話になるのだが、そこであれこれと仕事を押し付けられてしまう。やがて嫌気がさした王子は「これみよがしの卑しい英雄的行為という点では、もうこれで沢山だ」と考え、農婦から小猫を川に捨てることを命じられたのをきっかけに農場から逃げ出す。

なぜなら、自分もどこかで一線を引かねばならないと考えたからですし、この小猫を溺れさすところで一線を引くのが、恐らく正しいことだと考えたからです。

このエピソードは、王子の少年らしい正義感を伝え、また大人たちの愚かさを露呈するという重要な意味合いを持つ。その重要な鍵に猫を登場させるところに、トウェインの猫愛がしっかりと反映されている。

また、トウェインは猫と会話ができるという。そう語られているのは、トウェイン晩年の傑作として知られている『人間とは何か』である。自身を彷彿とさせる老人と、常識を振りかざす少年との会話形式で綴られる、この物語の後半で老人は少年に静かに諭す。

老人「…われわれの知るかぎりでは、口のきけない獣などというものはいないのだからね。（中略）われわれはネコの言うことも分かる。そのネコがぐっと伸びをし、ゴロゴロと喉を鳴らしながら愛情と満足の様子を見せ、やさしい声をたてて、こんなことを言うときだ。『さあ、みんな、おいで、ごはんですよ』と。悲しげな声を上げながら、あちこちと歩きまわり、こんなことを言う時も、その言葉が分かる。『あの子たちどこへ行ったのかしら？——迷子になったんだわ——探すの手伝ってくれません？』と……」

実際にトウェインは猫とこうして会話を楽しんでいたのだろう。猫たちの小さな仕草からリアリティが感じられる。

また、トウェインは生前、こんな話をしていたという。

「猫を愛する人となら、私は友人として、同志として堅苦しい紹介はいらない」

猫とおしゃべりを楽しむように、トウェインは猫好きとも、心のおしゃべりができたのかもしれない。

猫はトウェインの作品にもしばしば登場した

『牝猫』のように生きた波乱万丈の女流作家

コレット

生没年月日
1873年1月28日〜
1954年8月3日

出身地
フランス共和国
ヨンヌ県サン＝ソヴール

代表作
『シェリ』

プロフィル
1900年『クロディーヌ』シリーズでデビュー。『シェリ』発表で文壇の注目を浴びる。踊り子や同性愛、三度の結婚など波乱万丈の人生を送った。

国葬が行われるほどフランス全国民に愛された『牝猫』文豪

コレットが生まれたのはフランス中部に位置する小さな町。20歳を迎えた1893年、14歳年上の文筆家アンリ・ゴーチェ＝ヴィラールと結婚してパリに移り住んだことから、彼女の波乱万丈な人生はスタートした。

コレットの代表作『牝猫』の翻訳者である工藤庸子の解説によると、夫アンリはゴーストライターを使って評論や通俗小説を発表していた怪しげな文筆家だったという。1900年、27歳のコレットは夫の勧めで『クロディーヌ』シリーズを発表。1人の夫人が夫を熱愛しながらも、女友達との同性愛にも溺れていくという刺激的な内容で、コレットの実生活を描いたものともいわれている。こちらは大ベストセラーとなったが、作家名は夫の名義。作家コレットの名が知れ渡るには、20年後の『シェリ』まで待たねばならなかった。

そんな夫のもとを離れたコレットは、友人の家に身を寄せながら、ミュージックホールの踊り子となって生活をつなぎながら作家活動を続ける。しかし生活苦を感じさせるどころか、コレットはますます妖艶な魅力を発揮していく。全身タイツに身を覆いセクシーな猫に扮装をすると、パントマイム「恋する牝猫」を披露してみせる。するとたちまち大評判となり、やがて「猫のような女性」という印象を世間に焼き付けていくのだった。

他にも、義理の息子と恋愛事件を起こすなど、スキャンダルな話題には事欠かなかったコレット。離婚と再婚を繰り返し、官能的な小説を発表し続けてもなお、ノーベル文学賞にノミネートされるほど高い評価を得たのは、猫のように賢く、猫のように愛され上手な女性像を彷彿とさせる。最後にはフランスを上げての国葬まで執り行われたというのは、彼女が多くのファンに愛され、文学史上稀有な大作家であったことも物語っている。

愛猫をモデルに描いた『牝猫』は身の毛もよだつ美しさ

庭から牝猫の声が聞こえた。

「ムゥルーィン……ルルルーィン」

「あら猫が鳴いてる！　さかりがついているのね」カミーユはくったくのない調子で言った、「サア！　サア！」

猫の鳴き声がやんだ。

「さかりだって？」アランは抗議した、「どうしてさ。だいいち今は5月だよ。それに《ムゥルーィン》って言ってるんだぜ！」（中略）

「おやまぁ！」カミーユは両手を上げて憤慨した、「アランが猫の通訳をはじめたらもうきりがないんだから！」


歳を重ね、女の盛りも筆も熟達したコレットが、60歳で発表したのが『牝猫』である。19歳の花嫁カミーユと、24歳の花婿アラン、そして、アランの飼い猫サアの三角関係を描いた愛憎劇で、コレットの代表作のひとつに数えられる。

牝猫サアのモデルはコレットのシャルトリュー猫で、「ムゥルーィン」という甘えた鳴き声は、それだけで彼女の性質を見事に表している。ちなみにこれはフランス流の猫の鳴き声ではない。サア特有の「会話」として描かれているところに、この物語の真髄がある。

日本では谷崎潤一郎の『猫と庄造と二人のをんな』と比較される作品だが、強烈という点ではコレットに軍配が上がるだろう。先に紹介したのは物語の序盤。すでに三角形のバランスが狂っていることを示唆し、話が進行するにしたがって歪みは加速する。まもなく2人は結婚するのだが、そこからはサアの魔性が爆発する。主人を失った牝猫は、人間顔負けのしどけなさで新婚生活をかき乱し、愛猫家アランの心を揺さぶっていく。そして、そんなサアを前に、嫉妬の炎をメラメラと燃やすカミーユは、あろうことかサアを手にかけようとするところまで達してしまうのだ。

コレット本人も猫のような女性だったという

猫のような女性だからこそ描けた、牝猫の「魔性の美」を最高値まで極めた猫文学の最高傑作。コレットは晩年「もう誰とも結婚したくないが、大きな猫と結婚することは考えている」という名言を残しているが、この書を読んだ者もまた、人間と猫の境界線を越えた恋愛は成立するのだと信じてしまうだろう。

24匹の猫とともに暮らした無類の猫好き

ポール・ギャリコ

24匹の猫と一緒にイギリスで作家修行

生まれはニューヨーク。イタリア人移民の有名音楽家の父を持つポール・ギャリコは、豊かな子ども時代を過ごし、コロンビア大学理学部に入学。ニューヨークのデイリー・ニューズ社に入社すると、スポーツライターとして物書きのキャリアをスタートさせた。作家志望ではあったが、ハイスクール時代にフットボールで鍛えた、抜群の体力を武器に様々なスポーツの体験記事を書いたことで、アメリカで最も高級取りのスポーツライターと称されるまでに活躍を遂げた人物である。

念願の作家デビューを果たしたのは、『サタディ・イブニング・ポスト』紙上。当時の文学者の登竜門といわれており、最初の短編小説が掲載されるや、次々と掲載され、やが

生没年月日

1897年7月26日〜
1976年7月15日

出身地

アメリカ合衆国
ニューヨーク州

代表作

『スノーグース』

プロフィル

名物スポーツライターを経て作家に。1941年発表の『スノーグース』で注目を浴びる。『ジェニィ』『猫語の教科者』など猫がテーマの作品が多い。

て一流雑誌からも依頼が舞い込むようになったという。１９３６年、小説がハリウッドに５０００ドルで売れたことをきっかけに39歳でデイリー・ニューズ社を退社。晴れて独立を果たした。

そんなギャリコは、無類の猫好きとしても知られている。

独立後、イギリスに渡ったギャリコは、イングランド海峡に面したサムカムという漁村のコテージに移り住み、グレート・デーン１頭と、24匹の猫をお供に、執筆活動に専念する。それからまもなく、１９４０年に『スノーグース』を発表すると、翌年Ｏ・ヘンリー賞を受賞。世界的ベストセラーになり、作家としての地位を確立するに至った。

猫との濃密なコミュニケーションは、執筆活動にも多大なる影響を及ぼしている。翻訳家・古沢安二郎氏の解説文によると、「わたしの小説の中では猫について書かれたものが一番気に入っている」とギャリコ自身が語っており、その内容は「世界に類のない」傑作が揃っている。

『スノーグース』『雪のひとひら』に並ぶギャリコの代表作『ジェニィ』は、猫が主人公の物語。突如、白猫になってしまった少年ピーターが、雌猫ジェニィと冒険をしながら猫社会を学んでいくというストーリーで、猫を擬人化したのではなく、猫そのものが口をきいているとしか思えない巧みな心理描写に惹きつけられる。

さらに、1957年には続編『トマシーナ』を発表。こちらはウォルト・ディズニー社によって映画化され、世界中の注目を浴びた。

猫の猫による猫のための『猫語の教科書』を執筆

数々のベストセラーを生み出したポール・ギャリコだが、猫好き必読の1冊に数えられるのが『猫語の教科書』だ。

ポール・ギャリコのもとに持ち込まれた「猫が書いた不思議な原稿」という設定の本書。ギャリコは編集者として登場し、筆者の名前は不明ということだが著者近影には美しい虎ブチのツィツァが顔をツンとすまして顔を出している。

内容は、1匹の野良猫による、捨て猫、野良猫、仔猫に向けた教科書で、講義内容は主に人間の家の乗っ取り方と人間のしつけ方。ツィツァの実演写真とともに実に詳しく説明が施されているユニークな1冊である。

…小さな子どものあつかいはまっぴらだけれど、人間の頭に、猫は家族の一員だというイメージを作っておくべきでしょう。（中略）いつも家族の誰かが「猫ちゃんの分は？」というように、よくしつけておかなくてはいけません。人間は猫の表情をみんなまちがってとるけれど、それはそれでかまわないと思います。たとえばちょっと空気を吸おうと口を開けただけなのに「猫がニコニコしてる」。アクビをすると「笑ってる」（中略）みんなまちがっているけれど、でも人間が何か考えついて、何かをしてくれるかぎり、猫が損をすることもないでしょう」

他にも「声を出さないニャーオ」の効果や、人間を思いのままに操るための「声を出すニャーオ」の上手な実践法。「獣医にかかるとき」のマナー、子ども、独身男、女性などご主人様別の解説と扱い方、魅惑の表情の作り方など、その教えは多岐にわたり、全19章にも及ぶ。

「まさかうちの猫もこんなことを考えているのか？」と考えるとヒヤリとさせられるものばかりだが、そんなリアリティを生み出しているのも、ギャリコが24匹の猫と暮らした経験値によるものが大きいだろう。その説得力たるや素晴らしいの一言である。

夏は猫とともに島に渡って執筆に励んだ

トーベ・ヤンソン

小島に建てた小屋の中で猫と暮らし、執筆していた

彫刻家の父とグラフィックアーティストの母の長女として、フィンランドの首都ヘルシンキで誕生したトーベ・ヤンソン。芸術一家に生まれたトーベは、母国では画家としても有名で、ヘルシンキ市庁舎をはじめ多くの公共施設に壁画を残した。

文豪への扉を開いたのは1939年。戦時下で絵画の仕事に行き詰まったトーベは、親戚から聞かされた不思議な生き物を「ムーミントロール」と名づけ、これを主人公に小説を書きはじめた。最初の原稿は途中で放置されていたというが、1945年、友人の提案で完結に至り『小さなトロールと大きな洪水』として発表。続編『たのしいムーミン一家』が注目され、今や世界中にファンを持つ人気シリーズとなった。

生没年月日

1914年8月9日〜
2001年6月27日

出身地

フィンランド大公国
ヘルシンキ

代表作

『たのしいムーミン一家』

プロフィル

15歳で政治風刺雑誌のイラストレーターとしてデビュー。1945年『小さなトロールと大きな洪水』で作家デビュー。国際アンデルセン賞の作家賞を受賞。

そんなトーベは、夏になると島の別荘で過ごすのが習慣で、フィンランド湾に浮かぶ小さな島の小屋の中で執筆をしていたという。１９９3年に発表した自伝『島暮らしの記録』には、その様子が日記を交えながら綴られており、親友のトゥーティー、母のシグネ（愛称ハム）、そして愛猫プシプシーナ（愛称ピプスー）が登場する。

その年、ピプスーは、島に渡る途中で気分を害してしまい、翌日は松脂の中に落ちてしまうという災難に見舞われる。するとトーベはベンジンと石油、そしてランコムの乳液を使って厄介なベタベタを落としにかかった。ブランドコスメを惜しげもなく使うあたり、猫への愛情を感じさせるが、ピプスーには関係なし。途中で逃げ出し、しかも別荘すら脱走し、戻ったのは3日後だったという。ところがトーベの対応は非常にクールなもので、

5月12日
あの猫のやつ、わたしたちを赦してくれた。わたしとしては、ははは、というだけだ。

と、たった一行で終わらせている。

トーベの方針はシンプルだったようだ。友人にも母にも猫にも干渉せず、また友人も母

も猫もトーベに干渉をしない。しかし、決して放置ではなかった。トーベは猫のためだけに漁を行い、夏の間、新鮮な魚を与え続けたという。ピプスーは、ナマズやダンゴウオには見向きもしなかったが、鱈をはじめ豊富な魚に恵まれ、食事には困らなかった。

こうして、お互いの時間を尊重し、静かな時間の中でムーミンシリーズは綴られていった。トーベが執筆に勤しむ間、猫と母はお気に入りのテントサウナで過ごしたという。

猫と夏と島『少女ソフィアの夏』は爽快感でいっぱい

トーベが島で過ごした夏の時間を我々も楽しむことができる。1972年『少女ソフィアの夏』には、少女ソフィアと老婆が島で過ごした時間がそっくり閉じ込められている。トーベ自身が「わたしが描いたものの中で、もっとも美しい作品なのよ」と、翻訳者の渡部翠に明かしたという自叙伝的な作品だ。

主人公ソフィアは、トーベ自身ではないのだが、弟の娘で、話し相手となっている老婆はトーベの母だ。訳者によると、ヤンソン一家はトーベの島から約5キロの距離の島に別荘を構えており、物語は実話に基づいている。そしてソフィアもまた猫を飼っていた。

それは灰色の漁師猫だったが、みるみる大きくなっていった。（中略）ソフィアは、猫を遊び小屋につれもどし、気に入られようとやっきになったが、かわいがればかわいがるほど、猫はさっさと洗いかごに戻ってしまう。（中略）
「愛って、変なものね……」とソフィアがいった。
「だれかが、だれかを愛するほど愛するほど、相手は、ますます知らんぷりするのね」

独特の距離感で愛猫ピプスーと暮したトーベ

　おしゃまなソフィアの言葉には、トーベ自身の子ども時代も投影されているのだろうか。猫を追う子どもの様子が鮮明に浮かび上がってくる。本を開けば、夏の海が広がり、誰もが通り過ぎた子ども時代の夏休みに戻ることができる。大人こそ読むべき名作である。

大人気ミュージカル『キャッツ』の生みの親

T・S・エリオット

生没年月日

1888年9月26日～
1965年1月4日

出身地

アメリカ合衆国
ミズーリ州セントルイス

代表作

『荒地』

プロフィル

詩人・編集者。1928年イギリスに帰化。長詩『荒地』が米英両国で高く評価され20世紀モダニズム詩の金字塔と称される。1948年、ノーベル文学賞受賞。

子どもたちのため愉快な猫たちを描いたノーベル文学賞詩人

アメリカミズーリ州で生まれたトーマス・スターンズ・エリオットは、ハーバード大で哲学を学んだ後、哲学研究のため留学にしたイギリスに帰化、イギリスを拠点として活躍した20世紀を代表する詩人である。

「四月は最も残酷な月」ではじまる長編詩『荒地』は、20世紀モダニズム詩の金字塔と称され、世界中の詩人に多大なる影響を与えた。1948年にはノーベル文学賞を受賞。戦後の日本詩壇にもセンセーショナルを巻き起こし「荒地グループ」を生み出すに至った。

その偉大な詩人が、まさかロングランヒット中のミュージカル『キャッツ』の原作者だということは、あまり知られていないかもしれない。

『キャッツ ポッサムおじさんの猫と付き合う法』(池田雅之訳)は、エリオットの詩集の中でも特異なもので、ナンセンス作品に分類される。

発表は1939年で、当時エリオットは51歳。本書の翻訳者の解説文によると、エリオットが当時勤務していた文芸出版社フェイバー・アンド・フェイバーの社員の子どもたちのために書かれたもので、エリオット研究の対象としてはマイナーだったという。注目されたきっかけは先述の通りミュージカル上演のため。初演は1981年なので、エリオットの逝去から16年後ということになる。

副題となっている「ポッサムおじさん」だが、徳永暢三著『人と思想102 T・S・エリオット』によると、アメリカの詩人エズラ・パウンドが、エリオットにつけたあだ名とのこと。「ポッサム」というのは、日本では「オポッサム」と呼ばれているアメリカの小動物で、危険を察知すると死んだふりをするという特徴がある。自分の資質を言い当てた洒落が効いたこのあだ名が気に入ったエリオットは、子ども向けの詩集の中で、おどけてみせる意味で使ったといわれている。猫を含め小動物が好きだったというエリオットの愉快な一面を彷彿とさせるネーミングである。

詩集『キャッツ』は猫観察のたまもの

詩集『キャッツ』は、15編の詩から成り立っており、「猫に名前をつけるのは全くもって難しい」からはじまる、冒頭詩『猫に名前をつけること』は、ポッサムおじさんことエリオット自身の言葉と読み取れる。

猫に名前をつけるのは全くもって難しい。
休日の片手間仕事じゃ、手に負えない。
寄ってたかってこのわしを、変人扱いしとるけど
いいかね、猫にはどうしても、三つの名前が必要なんだ。

こんな、子どもたちを惹きつける魅力的なフレーズではじまり、そこから14匹の個性的な猫たちが紹介されていく。

おばさん猫のガンビー・キャットは怠け者。ガンビーとはガムから派生したエリオットによる造語である。まるでガムのように一度ソファーに座ったらべったりくっついて離れない様子を歌っており、太々しい顔で1日中、眠っている年老いた猫の姿が浮かび上がっ

てくる。

他にも、あまのじゃくのラム・タム・タガーや、泥棒コンビ猫のマンゴジェリーとランペルティーザー、鉄道猫スキンブルシャンクスなど、個性的だけど憎めない猫たちが登場する。どの猫も、エリオットが普段から猫を細かく観察していることを想像させ、また手をやかされつつも可愛くて仕方がないという愛猫家らしい感情が隠されている。

詩集『キャッツ』は猫好きの観察眼が生かされている

ちなみにミュージカルでは要となる娼婦の猫は登場しない。この猫は、子どもには相応しくないとエリオット自身が一度書いた後に削除した猫で、ミュージカル化にあたってはじめて日の目を見た猫……というのは、豆知識である。

ユーモラスな名前や擬音や造語が多いのも特徴で、子どもでなくとも思わず口に出してみたくなる呪文のような言葉が並んでいる。猫好きなら一度は読んでおきたい詩集である。

恋人も猫も等しく愛して等しく溺れた

シャルル・ボードレール

恋人を愛しながら猫を想い、猫を愛ながら恋人を想った

元老院事務局で働く教養人の父と、元陸軍士官の娘である母の間に生まれたボードレール。6歳で父と死別、母親が若い陸軍少佐と再婚したことで幼くして孤独を体験し、恋多き人生を送ったことで知られる詩人である。

後に「黒いビーナス」と称えられた女優ジャンヌ・デュヴァルを筆頭に、様々な女性と浮名を流したボードレールだが、猫に向ける愛情も恋人に匹敵する熱っぽさをうかがわせる。

代表作『悪の華』には『猫』と題された詩が3編登場し、いずれも耽美な表現を用いて猫の神秘性を見事に歌い上げている。

生没年月日

1821年4月9日〜
1867年8月31日

出身地

フランス王国　パリ

代表作

『悪の華』

プロフィル

パリ生まれの詩人、美術評論家。廃頽美を耽美的感覚と批判精神で表現した詩集『悪の華』を発表。後世の詩人に影響を与え近代詩の父と謳われる。

おいで、私の綺麗な猫よ、恋する私の心臓の上に。
足の爪を立てたりせずに、
私に覗きこませておくれ、金属と瑪瑙でできた
お前の美しい目の中を。

最初の『猫』は、その美しさを宝石に例えている。ここから「私の指が暇にまかせて、おまえの頭やしなやかなおまえの背中を撫でるとき／私の手が快楽に酔いしれながら　電気を帯びたおまえの体をまさぐるとき……」と続く。この官能的な感情の昂りを、エッセイストの熊井明子は『猫の文学散歩』の中で「どうやら彼が猫を愛撫しつつ恋人を想い、恋人に触れながら猫を想っていたらしい」と分析する。
打って変わって、栗いろの愛猫を歌う2番目の『猫』は、清純さを物語る。

その金いろと栗いろの毛皮から
実にやさしい香りが出るので、ある晩

一度、ただ一度だけ撫でてやったら、
私にもそれがしみついた。
この場に宿る守護霊か。
この領分の中のあらゆるものを
裁いて、治めて、霊感でいっぱいにする。
こいつは妖精か、それとも神か？

先の詩と同じく作品名は『猫』だが、こちらの猫は「守護霊」「妖精」「神」と喩え、神聖な存在として描いている。一変した理由は、この詩が書かれた当時は新しい恋人がおり、その恋人と猫を同一視しているためだと研究者の間では考えられている。もしや、ボードレールは恋人に合わせて愛猫を選んでいたのか、それとも逆なのか。興味は尽きない。

詩人のみならず愛猫家を増やすほどの影響力を発揮

3番目の『猫』には、知性と威厳を感じさせる猫が描かれている。

学問の友でもあれば快楽の友でも合って
猫は沈黙を求め　暗闇の恐怖を求める。
地獄の王ならばこれを柩車の馬に採用しただろう、
もし猫が誇りをまげて人に仕えることさえあれば。

さらに、物思いにふける姿は「巨大なスフィンクス」に例えられ、腰は「魔法の火花にみちあふれ」ているという。ただそこにいるだけで、時間と次元を超えた存在に見えてしまうほど、厳かな女性と恋をしていたのだろうか。猫と恋人にひざまづいて愛をささやくボードレールの輪郭が浮かび上がってくる。

さて、この『悪の華』は、発刊してまもなく、公安局から著者に風俗壊乱の容疑でありとして莫大な罰金が課せられ、さらに6編の詩の削除が言い渡された。それだけ当時の人々に及ぼす影響力が大きかったことがうかがえるエピソードである。

ところで、猫と女性、愛するほどにその境界線が曖昧になるという愛猫家の特有の病いは、ボードレールがその発祥なのかもしれない。谷崎潤一郎の項目でも話題にしたが、谷崎を愛猫家へと変貌させたのは、まさしくこの3編の詩だったのだ。

孤独な人生のお供は愛する猫たちだった

ルーシー・モード・モンゴメリ

厳しい祖父母との生活の中で猫は親友だった

世界36ヵ国で翻訳され、子どもから大人まで深い感動と優しい教訓を与えてくれる『赤毛のアン』。2016〜18年にかけて映画三部作が制作されたこともあり、少しも古びた印象はないのだが、初版は1908年、和暦では明治41年にあたると聞けば驚く人も多いかもしれない。

その作者であるルーシー・モード・モンゴメリは、カナダのプリンス・エドワード島生まれの女流作家。1歳9ヶ月で母を亡くし、幼くして父と離れて祖父母に育てられた経験から、人一倍感受性の高い子どもとして育った。モンゴメリの日記や家族・知人の証言、2人のペンフレンドとの書簡をもとに書かれたモリーギレン著の伝記『運命の紡ぎ車』によ

生没年月日

1874年11月30日〜
1942年4月24日

出身地

カナダ
プリンスエドワード島

代表作

『赤毛のアン』

プロフィル

幼くして母親と死別。教師生活を得て、30歳で書いた「赤毛のアン」で作家デビュー。アン・シリーズのほか自伝的なエミリー・シリーズも人気。

ると、彼女は孤独だったが、寂しがりやではなかったという。その理由としてこうあげる。

…熱狂的な内面生活と強い好奇心、泉のように湧き出る想像力に恵まれていたからである。木々―とりわけ木々―木の葉、影、花々、雲、子猫―なによりも子猫―貝がら、波しぶき、月明かり、陽の光―これらのものすべてが、若いモード（モンゴメリ）にとって『命の息』であった。

同書によるとモンゴメリは、猫には目がなかったという。郵便局長を務める厳格な祖父と祖母は、思慮分別をわきまえたものが猫などを構うべきではないと考えていたため、モンゴメリの猫好きは常に恥の意識がつきまとったという。しかし、それに争い猫を愛した。自叙伝的小説『可愛いエミリー』の主人公エミリーも猫を飼っており、自室に猫を連れていこうしておばさんに叱られると「だって、わたしのお友だちなんですもの」と言い返すシーンが登場する。

モンゴメリの愛猫の名はダフィ。祖父、祖母の死後、36歳でようやく結婚という幸せを掴んだ彼女は、牧師の夫と暮らす新たな牧師館に引越す際も、この雄猫を伴った。荷物と一緒に3日間も閉じ込められていたにも関わらず、ダフィは忍耐強さを見せつけたという。そのときを振り返りモンゴメリはこう綴る。

…ただ、喉が乾いていて、ミルクをお皿に三杯と水をお皿一杯、休みもせずに飲んでしまいました。それから、わたしのひざの上にのぼって来て、できる限りおごそかに人間じみたキスをしたのです。

うつ病の夫を支える苦しい生活の中でも猫が支えに

幸せな結婚生活に暗い影が落ちはじめたのは、それから8年後だった。夫は若い頃からうつ病を患っており、その頃、再び深刻な神経衰弱に悩まされるようになってしまったのだ。しかし、周囲が期待する牧師の妻、そして人気作家としての顔を捨てることは許されず、「交際上手な人」の仮面をかぶり深い孤独に苛まれる。そんなときも彼女の救いは猫だった。

本当に付き合うに足るものは「独力で生きているネコたちだけ」（中略）「ネコという

ものは自分で属する種類の満足し、たとえ三毛ネコであっても、決して青灰色をしたマルタネコであるようなフリはしません」

ダフィは14歳で天国に旅立った。子猫の頃は愛情に欠けた猫だと思われていたが、大きくなるにつれて愛情深くなり、牧師館の前でモンゴメリを歓迎し、玄関まで誘導していたという。

ダフィの死因は射殺だった。モンゴメリは、避難場所がわりにしていた書斎にダフィの姿がなくなったことに激しい喪失感を覚えたという。そして「黒の模様のあるシルバーグレーの毛皮のコートをまとったこの美しい生き物は猫ではなく、人間なのだ」と語った。そして、こんな言葉を残し、今もすべての猫好きに夢を与え続けている。

わたしの愛したすべての猫の霊が、ごろごろと喉を鳴らして、わたしを天国の門で出迎えてくれるかしら。

美と美少年と猫をこよなく愛した芸術家

ジャン・コクトー

生まれながらの詩人と称えられる多彩な芸術家

パリ近郊の裕福な家に生まれ、幼い頃から詩作を重ねたジャン・コクトー。20歳で発表した詩集『アラディンのランプ』をはじめ、『軽薄公子』『ソフォクレスのダンス』など初期作品群がピカソなど著名な芸術家たちの関心を集め、社交界の詩人として注目を浴びた。

1917年には、新作バレエ『パラード』を書き下ろし劇壇にも進出。『ロミオとジュリエット』の舞台演出、『美女と野獣』の映画監督を務めるなど、一生を通じて、詩人、劇作家、小説家、評論家、画家などジャンルを超越した前衛作家としての活躍を遂げた。また『大股びらき』や『恐るべき子供たち』などの同性愛を描いた小説も有名だ。

美しい言葉、美しい風景、美しい男性と、あらゆる美を愛したコクトーは、猫も愛して

生没年月日

1889年7月5日～
1963年10月11日

出身地

フランス共和国
イヴリーヌ県メゾン＝ラフィット

代表作

『恐るべき子供たち』

プロフィル

パリ近郊の街で生まれる。1909年、詩集『アラディンのランプ』で文壇デビュー。詩の他、作家、演劇、絵画、映画など多様な芸術活動を行った。

いた。熊井明子著『猫の文学散歩』の記述によると、猫についてこんな言葉を残している。

私は猫たちを愛している。

なぜなら、私は家を愛するから。

そして、猫というものは、少しずつ家の魂というべき存在になる。

また、彼の愛した猫たちは、いずれも誇り高く、個性的だったという。人が見ていると決して食事を取らなかったという白猫や、コクトーの手のひらからしか食べないシャム猫などもお気に入りだった。しかし彼は「自分は猫マニアではない」と主張していたという。猫に溺れる飼い主とは一線を画したいという思いがあったようだ。

難解な中に猫の神秘性をうかがわせる詩『猫』

コクトーは異彩を放つ芸術家ではあったが、猫を愛する他の作家たちと同じく、その作品にはしばしば猫が登場する。詩集『用語集』の中に納められた『猫』は、難解ではあるが、猫の持つ神秘性、ミステリアスな一面を端的に表現してみせた美しい詩である。

火、見事な金魚が、
閉じた猫を眠らせた。
万一僕が不注意から、動いたりしたら、
猫は化けもできるわけ。

一方、詩集『寄港地』の「よいもの」は童謡風の可愛い詩だ。

はっきり見える北極星
おしゃべりでない別嬪さん
夕日の空の赤い雲
(中略)
船で飼ってるじじい猫
夜明けに明るい空模様
いろ気ざかりの混血女

どれもみなよい
みなどれもよい

膝の上で眠る猫も、漁船で飼われている年老いた猫も愛でるコクトー。猫マニアではないといいながらも、かなりの猫好きであることは予想できる。

また、画家としても猫を描くことが度々あった。その中のひとつ、彼が晩年に暮らした家にほど近いパリ郊外にあるサン・ブレーズ・デ・サンプル礼拝堂のフレスコ画には、大きな花を見上げる少しおどけた表情の猫が描かれている。祭壇には「Je reste avec vous（私はあなた方とともにいる）」と刻まれており、そのすぐそばには彼自身が眠っている。天国でも猫とともに暮らすことを夢見ていたのかもしれない。

個性的な猫ばかりを可愛がったコクトーと
シャム猫のコクーン

麻薬漬けの日々で猫は精神安定剤だった

ウイリアム・S・バロウズ

——生没年月日——
1914年2月5日〜
1997年8月2日

——出身地——
アメリカ合衆国
ミズーリ州セントルイス

——代表作——
『裸のランチ』

——プロフィル——
1960年代、アメリカ文学界に現れたビート・ジェネレーションを代表する作家。LGBTの権利を主張する奔放な生き方はミュージシャン等に影響を与えた。

荒れていた生活の中で猫に精神的安定を求めた

父は製薬会社の経営者、祖父はバロウズ計算機の発明家として知られる、アメリカの裕福な家庭に生まれたウィリアム・シュワード・バロウズ2世。ハーバード大で英文学を学び、作家となる礎を築いた。

そんな華麗な経歴とは裏腹に実生活は荒れていたことも有名だ。大学卒業後は定職につかずウィーンへと渡航。その後、ケンブリッジ大学医学部で学び、ハーバード大学院へと進学する過程で麻薬を覚え、酒に浸り、また同性愛にも溺れていった。当時は社会的弾圧を受けることも多かったLGBTであることが両親に発覚し、ニューヨークに新天地を求めて移住。当時、アメリカの文壇で異彩を放っていた「ビート・ジェネレーション」の初期メンバーとの交流を持ち、作品を生み出すに至る。実体験をもとに性の解放、管理社会への批判を綴った『裸のランチ』はヒッピーやミュージシャンたちに多大な影響を与えた。
そんなバロウズだが、一方で、猫に精神的安定を求める愛猫家でもあった。1986年には『内なるネコ』を発表した。

…わたしは守護神の役を与えられている。一部はネコ、一部は人間、一部は未だ想像の及ばぬ存在から成る生き物を創り、育てるのが仕事。何百万年もの間、一度も起こらなかったような組み合わせから生じるような生き物を創るのだ。

猫を神格化したその内容は、一部、幻覚めいた難解な箇所も出てくるが、十分に猫好きを陶酔させる。また「白ネコ」を象徴的存在として捉え、その意義を解き明かしている。
白ネコとは、「掃除屋」あるいは「自分自身をきれいにする動物」のこと。サンスクリット語ではマルガラスといい、「足跡を追う狩人、調査員、借金取り立て人」を意味する。白ネコは狩人、殺し屋だ。彼の通る道を、銀の月が照らす。すべての暗い隠れた処や隠れた物は、逃れることのできない静かな月の光に照らし出される。自分の白ネコをまくことはできない。白ネコは自分自身だから。

バロウズにとって猫とは、リアリストでもあり、精神的な存在でもあるという。「好き」という範疇を超え敬愛していたともいえるだろう。

その反面、犬は毛嫌いしていたようだ。「別に犬が嫌いなわけではない。でも人間がその最大の友とやらを仕立て上げた、その成れの果てが嫌いだ」そして「自分自身の感情を持っていない生き物」と主張する。犬そのものではなく、人に飼い慣らされ、怒りさえ人間への服従を示す道具にする生き方に反感を抱いていたようだ。

嫉妬深い愛猫ラスキーに立ち去った恋人を重ねていた

バロウズは家にやってきた野良猫を受け入れたり、追い出したりしながら暮らしていた。複数の猫に囲まれていたが、特に可愛がっていたのが灰色猫のラスキーだ。「ラスキーとのつながりは、わたしの人生の基本要素だ」というほど、大切な存在だったという。

ラスキーもまた野良猫だった。バロウズが家のドアを開け放ったまま暖炉のそばで座っているとき、「他の猫からは聞いたこともない叫び声」を上げながらバロウズの膝に飛び乗り「わたしの猫になりたいと訴えてきた」という。

ラスキーが肺炎で入院した際には、数時間おきに電話をかけて安否を確認し、医者が「すみません」といっただけで「悲しみと寂しさがわたしを襲った」と、過剰に反応してしまったという逸話もある。結局、この謝罪はバロウズを待たせたことに対するもので、ラスキーは無事に回復した。

ラスキーをここまで愛した理由は、当時のモロッコ人の恋人キキとの類似もあったようだ。「ラスキーの姿を通してはっきりキキの姿が見えた」という。バロウズは、一度だけラスキーをぶったことがあった。仔猫に嫉妬して噛み付いたためだった。しかし、ラスキーは悲しい顔をして逃げ出してしまったという。また、キキとも喧嘩をして離れてしまった。キキはマドリードへと去ったが、ラスキーは再びバロウズの腕に抱かれた。そして、キキの分身であるかのように、ラスキーからキキの声を聞いたという。

その後、ラスキーは野良猫と間違えられ、動物愛護団体に捕獲されてしまうのだが、その経験からラスキーほかすべての猫に狂犬病の予防接種を施し、より深く愛したという。

愛猫の人生を壮大なオペラのごとく描いた

E・T・A・ホフマン

生没年月日

1776年1月24日〜
1822年6月25日

出身地

プロイセン王国

代表作

『黄金の壺』

プロフィール

旧ドイツの作家、音楽家、画家、司法家。ベルリン大審院の判事でありながら、幻想文学をはじめ、戯画、作曲家、と多彩な才能を発揮した。

森鴎外をも陶酔させた奇才ホフマンは大の愛猫家だった

法律家の家に生まれたエルンスト・テオドール・アマデウス・ホフマンは、ナポレオン戦争の時代に活躍した奇才の芸術家である。戦争下の混乱と貧困に喘ぎながらも絵画など多様な分野で芸術的才能を発揮し、ホフマンが紡ぎ出す幻想的な世界観はのちの多くの芸術家に影響を与えた。代表作『黄金の壺』の訳者あとがきによると、森鴎外が「エドガー・ポーを読む人は更にホフマンに遡らざるべからず」と説いたという。

ホフマンが愛猫ムルをモデルに描いたのが『牡猫ムルの人生観』である。第1巻を発表したのは１８２０年。１８２２年には第2巻が発表されたが、第3巻の執筆を前にホフマンがこの世を去ったことで中断を余儀なくされた未完の大作だ。

『牡猫ムルの人生観』は、「長靴をはいた猫」の子孫を自称する牡猫ムルが執筆し、ホフマンが編集者となって世に出したという設定。人間の言葉を理解する猫が語り部となり人間社会を風刺することから、夏目漱石の『猫』と比較されることが多いが、こちらはその約100年前に出版されており、漱石がお手本としたのではないかと研究者の中では考えられている。

また、最大の特徴として二重構造が挙げられる。詳細は後述するが、この奇抜な発想の礎をホフマンは、1820年5月1日付のシュパイア博士宛の書簡で「素晴らしく立派な現実の牡猫（中略）わたしの飼い猫が、もともときわめてしかつめらしいはずのこの書物に編み込まれてしまった道化た諧謔《かいぎゃく》をかかせるきっかけをあたえてくれたのです」と明かしている。貴族的で賢く、牡猫らしい行動力を持つ愛猫への想いが名著を生んだのだ。

ムルをホフマンは大切にしていた。衰弱すると家族と同じように懸命に看護にあたったという。そして、亡くなった後には天国の住民なった愛猫を想い、胸の痛みを書き残した。

本年十一月二十九日より三十日にかかる夜半、我が誠実にして愛する徒弟である牡猫ムルは、前途ようようたる生涯の第四年目にして永眠し、よりよき地での生存に目覚めるにいたりました。物故せるこの若者を識り、彼が美徳と正義の軌道を踏みはずさずに歩いていたのを眼にされたかたなら、我が悲痛のいかばかりかを推測され、これを沈黙によって敬ってくださるはずです。

猫の主張と音楽家の伝記が融合した奇書

『牡猫ムルの人生観』は漱石の『吾輩は猫である』と決定的に違う点がある。それは、牡猫ムルの主張の間に「楽長ヨハネ・クライスラーの伝記」が、唐突に割り込んできて、混ざり合ったままで1冊の本になっているという奇妙な仕掛けだ。これは、ムルが主人の書斎を借り、ペンを持って原稿を執筆する際、側にあった伝記本を破って吸い取り紙として使い、そのページが挟まったまま原稿が印刷所に送られたせいだと、ホフマンは説明している。愉快な仕掛けは他にもあり、隅々にまで遊び心が満ちあふれている。

ムルの人生観に絞って概要を説明すると、猫に生まれたことを誇りにしている牡猫ムルが、家にやってくる客たちの会話を批判し、犬の人間びいきな振る舞いに嘆き、ミースミースという牝猫に恋煩いをし、美しい詩を読み、恋人の浮気に悩まされては人生を想う、猫による人生讃歌だ。小さな出来事が格式高い口調で語られて、また仲間の猫たちも貴族のような振る舞いをする、そのミスマッチ感におかしさがこみ上げてくる。

…孤独になると、これまでの存在がいかなる形成のもとに造形されてきたかをつらつらと思案しつつ（中略）余が地獄に深淵のまぎわまでいかに近づいていたのかを起草して、おおいに愕然とした。

例えばこんな具合だ。外から戻り、主人がいる暖炉の床に寝そべりながら、猫は地獄を想っている。そして恋の季節には家から抜け出してダンスを踊ることさえある、らしい。

彼女は余の求めにおうじて前脚をさしだし、そこで我々は踊りの列のなかにとびこんだ。――ああ！　なんと、彼女の息が余の頬にふれて戯れたことか、なんと余の胸は彼女の胸にふれてわなないたことか！

猫の威厳に満ちた表情のうちには、なるほどこのような思索があったのかと信じさせてくれる『牡猫ムルの人生観』。愛猫家による愛猫家ための歴史的名著のひとつである。

最愛の妻を「猫のパジャマ」と称えた

レイ・ブラッドベリ

生没年月日

1920年8月22日〜
2012年6月5日

出身地

アメリカ合衆国
イリノイ州ウォキーガン

代表作

『華氏451』

プロフィール

小説家・詩人。ＳＦ小説『火星年代記』でデビュー。ファンタジー、ホラー、ミステリーなど幻想文学を得意とする。代表作『華氏451』は映画化された。

執筆中もずっと寄り添う猫は仕事のよきパートナー

ディストピア文学の最高峰と称えられる『華氏４５１』をはじめ、ＳＦ小説『火星年代記』や『タンポポのお酒』などの著者として知られるレイ・ダグラス・ブラッドベリ。作家としての出発は、パルプ・マガジンと呼ばれる低級な娯楽雑誌ではあったが、鋭い視点で描かれたファンタジー作品が注目を浴び、２０００年にはアメリカ文学に貢献した作家に贈られる「ナショナル・ブック・ファウンデーション」からメダルを授与。20世紀アメリカ文学を代表する作家の１人となった。

宇宙時代の叙情詩人、ポーの後継者などの異名を持ち、数々の幻想文学を送り出して来たブラッドベリ。愛猫家としても有名で、著書を飾る近影写真には、書斎で黒猫を抱いている写真を使うなど、どこかエドガー・アラン・ポーを彷彿とさせる。大恐慌真っ只中の1934年頃には赤貧に喘いでいたというが、作家として大成するべく1949年に移り住んだロサンゼルスの自宅にはいつも猫であふれていたという。猫専門誌『猫びより』（辰巳出版）連載の『あの人と猫』（稲田雅子・執筆）によると、地下の書庫に降りていくときに決まってついてくる猫、執筆中のデスクの上でペーパーウエイトがわりになってくれる猫など、個性的な猫が揃っていたようだ。仕事場には決して猫を近づけない作家もいるが、ブラッドベリの場合は、猫は執筆のよきパートナーとして寄り添っていたようである。

捨て猫がキューピッドになる短編小説『猫とパジャマ』

2004年に発表された短編集『猫のパジャマ』は、献辞ではじまる。

つねにそして永遠に猫のパジャマであるマギーに

マギーとは57年という長い月日をともにした愛妻のマーガリートのこと。そして「猫のパジャマ」とは、素晴らしい人、ものを表す俗語だ。妻への永遠の愛を誓う言葉にあえて

「猫」という表現を用いたところに、愛猫家としての片鱗がうかがえる。

作品集に収録された同名小説『猫とパジャマ』は、2003年に執筆されたまま未発表となっていた作品である。カリフォルニアの9号線に置き去りにされていた猫の所有権をめぐって、ハンサムな男と、さらに話をかけてハンサムな女が火花を散らす恋愛小説だ。2人は、国道の左右から車を走らせてきた赤の他人。捨て猫を同時に発見し、同時に手をかけ、そしてどちらも愛猫家という設定だ。


「あたしの猫は死んじゃったの」

「僕の猫もだ」と男が言い返す。

猫をつかむふたりの手の力がゆるんだ。

「いつ？」と女が訊いた。

「月曜」と男が答えた。

「先週の金曜」と女。

（中略）これと言った理由もなく、男がいった。「ぼくは〈キャットファンシー〉に記事を書いたよ」

男を見る女の目が変わった。

「あたしはケノーシャでキャット・ショーを仕切ったわ」

このように終始、テンポよく切り出させる2人の会話は、短いながらも猫を愛する想いがあふれていて、思わずクスリとさせる。しかも、女の名前はキャサリン（愛称はキャット）、男はトム（トムキャットは雄猫の愛称）という。2人は近くの食堂に移動して改めて猫権を争い、店が閉店するとペット同伴可能のホテルに移動して、バトルを続ける。しかし、女が愛猫のためにパジャマを作った話を引き合いに出した途端に話が進展し、いよいよ2人は勝負を決めるためのゲームをはじめるのだが、朝になる頃には……。

作家として大成する前から猫はパートナーだった

捨て猫1匹で甘いラブロマンスを完成させたブラッドベリ。その文才と甘い猫愛を堪能していただきたい。

まだある 海外の文豪と猫

ネコの激怒は美しい
純粋なネコ的炎は燃え上がり、火花を散らす
（ウィリアム・S・バロウズ『内なるネコ』より）

この世に詩歌に詠われぬ猫はなし
（T.S.エリオット『キャッツ ポッサムおじさんの猫と付き合う法』より）

熱に浮かれた恋人たちも　いかめしい学者たちも
同じように好きになるのだ、円熟の季節が来れば
堂々としてやさしい猫　我が家の誇り
（シャルル・ボードレール『悪の華』「猫」より）

猫はおそらく安心しきって友がもう金輪際
自分から離れない夢でもみているのだろか
深い眠りのなかでぴくりともしない。
そのぐったりした様子
灰色がかったつるにち草のように蒼ざめ
引きつった唇は、この猫がどれほどみじめに
眠れぬ夜を過ごしたかを物語っていた。
（コレット『牝猫』より）

神さまもご存知のように、私たち猫は
不実とか裏切りなどとは無縁なのにね
（ポール・ギャリコ『猫語の教科書』より）

第3章

猫の名作案内

どんぐりと山猫

宮沢賢治

おかしなはがきが、ある土曜日の夕がた、一郎のうちにきました。

かねた一郎さま　九月十九日
あなたは、ごきげんよろしいほで、けっこです。
あした、めんどなさいばんしますから、おいでんなさい。とびどぐもたないでくなさい。
山ねこ　拝

こんなのです。字はまるでへたで、墨もがさがさして指につくくらいでした。けれども一郎はうれしくてうれしくてたまりませんでした。はがきをそっと学校のかばんにしまって、うちじゅうとんだりはねたりしました。

ね床にもぐってからも、山猫のにゃあとした顔や、そのめんどうだという裁判のけしきなどを考えて、おそくまでねむりませんでした。

けれども、一郎が眼をさましたときは、もうすっかり明るくなっていました。おもてにでてみると、まわりの山は、みんなたったいまできたばかりのようにうるうるもりあがって、まっ青なそらのしたにならんでいました。一郎はいそいでごはんをたべて、ひとり谷川に沿ったこみちを、かみの方へのぼって行きました。

すきとおった風がざあっと吹くと、栗の木はばらばらと実をおとしました。一郎は栗の木をみあげて、

「栗の木、栗の木、やまねこがここを通らなかったかい。」とききました。栗の木はちょっとしずかになって、

「やまねこなら、けさはやく、馬車でひがしの方へ飛んで行きましたよ。」と答えました。

「東ならぼくのいく方だねえ、おかしいな、とにかくもっといってみよう。栗の木ありがとう。」

栗の木はだまってまた実をばらばらとおとしました。

一郎がすこし行きますと、そこはもう笛ふきの滝でした。笛ふきの滝というのは、まっ白な岩の崖のなかほどに、小さな穴があいていて、そこから水が笛のように鳴って飛び出し、すぐ滝になって、ごうごう谷におちているのをいうのでした。

一郎は滝に向いて叫びました。

「おいおい、笛ふき、やまねこがここを通らなかったかい。」

滝がぴーぴー答えました。

「やまねこは、さっき、馬車で西の方へ飛んで行きましたよ。」

「おかしいな、西ならぼくのうちの方だ。けれども、まあも少し行ってみよう。ふえふき、ありがとう。」

滝はまたもとのように笛を吹きつづけました。

一郎がまたすこし行きますと、一本のぶなの木のしたに、たくさんの白いきのこが、どってこどってこどってこと、変な楽隊をやっていました。

一郎はからだをかがめて、

「おい、きのこ、やまねこが、ここを通らなかったかい。」

とききました。するときのこは

「やまねこなら、けさはやく、馬車で南の方へ飛んで行きましたよ。」とこたえました。一郎は首をひねりました。

「みなみならあっちの山のなかだ。おかしいな。まあもすこし行ってみよう。きのこ、ありがとう。」

きのこはみんないそがしそうに、どってこどってこと、あのへんな楽隊をつづけました。

一郎はまたすこし行きました。すると一本のくるみの木の梢を、栗鼠がぴょんととんでいました。一郎はすぐ手まねぎしてそれをとめて、

「おい、りす、やまねこがここを通らなかったかい。」とたずねました。するとりすは、木の上から、額に手をかざして、一郎を見ながらこたえました。

「やまねこなら、けさまだくらいうちに馬車でみなみの方へ飛んで行きましたよ。」

「みなみへ行ったなんて、二とこでそんなことを言うのはおかしいなあ。けれどもまあもすこし行ってみよう。りす、ありがとう。」りすはもう居ませんでした。ただくるみのいちばん上の枝がゆれ、となりのぶなの葉がちらっとひかっただけでした。

一郎がすこし行きましたら、谷川にそったみちは、もう細くなって消えてしまいました。

そして谷川の南の、まっ黒な榧の木の森の方へ、あたらしいちいさなみちがついていました。一郎はそのみちをのぼって行きました。榧の枝はまっくろに重なりあって、青ぞらは一きれも見えず、みちは大へん急な坂になりました。一郎が顔をまっかにして、汗をぽとぽとおとしながら、その坂をのぼりますと、にわかにぱっと明るくなって、眼がちくっとしました。そこはうつくしい黄金いろの草地で、草は風にざわざわ鳴り、まわりは立派なオリーブいろのかやの木のもりでかこまれてありました。

その草地のまん中に、せいの低いおかしな形の男が、膝を曲げて手に革鞭をもって、だまってこっちをみていたのです。

一郎はだんだんそばへ行って、びっくりして立ちどまってしまいました。その男は、片眼で、見えない方の眼は、白くびくびくうごき、上着のような半纏のようなへんなものを着て、だいいち足が、ひどくまがって山羊のよう、ことにそのあしさきときたら、ごはんをもるへらのかたちだったのです。一郎は気味が悪かったのですが、なるべく落ちついてたずねました。

「あなたは山猫をしりませんか。」

するとその男は、横眼で一郎の顔を見て、口をまげてにやっとわらって言いました。

「山ねこさまはいますぐに、ここに戻ってお出やるよ。おまえは一郎さんだな。」

　一郎はぎょっとして、一あしうしろにさがって、

「え、ぼく一郎です。けれども、どうしてそれを知ってますか。」と言いました。するとその奇体な男はいよいよにやにやしてしまいました。

「そんだら、はがき見だべ。」

「見ました。それで来たんです。」

「あのぶんしょうは、ずいぶん下手だべ。」と男は下をむいてかなしそうに言いました。一郎はきのどくになって、

「さあ、なかなか、ぶんしょうがうまいようでしたよ。」

　と言いますと、男はよろこんで、息をはあはあして、耳のあたりまでまっ赤になり、きもののえりをひろげて、風をからだに入れながら、

「あの字もなかなかうまいか。」とききました。一郎は、おもわず笑いだしながら、へんじしました。

「うまいですね。五年生だってあのくらいには書けないでしょう。」

　すると男は、急にまたいやな顔をしました。

「五年生っていうのは、尋常五年生だべ。」その声が、あんまり力なくあわれに聞えましたので、一郎はあわてて言いました。

「いいえ、大学校の五年生ですよ。」

すると、男はまたよろこんで、まるで、顔じゅう口のようにして、にたにたにたにた笑って叫びました。

「あのはがきはわしが書いたのだよ。」

一郎はおかしいのをこらえて、

「ぜんたいあなたはなにですか。」とたずねますと、男は急にまじめになって、

「わしは山ねこさまの馬車別当だよ。」と言いました。

そのとき、風がどうと吹いてきて、草はいちめん波だち、別当は、急にていねいなおじぎをしました。

一郎はおかしいとおもって、ふりかえって見ますと、そこに山猫が、黄いろな陣羽織のようなものを着て、緑いろの眼をまん円にして立っていました。やっぱり山猫の耳は、立って尖っているなと、一郎がおもいましたら、山ねこはぴょこっとおじぎをしました。一郎もていねいに挨拶しました。

「いや、こんにちは、きのうははがきをありがとう。」

山猫はひげをぴんとひっぱって、腹をつき出して言いました。

「こんにちは、よくいらっしゃいました。じつはおとといから、めんどうなあらそいがおこって、ちょっと裁判にこまりましたので、あなたのお考えを、うかがいたいとおもいましたのです。まあ、ゆっくり、おやすみください。じき、どんぐりどもがまいりましょう。どうもまい年、この裁判でくるしみます。」山ねこは、ふところから、巻煙草の箱を出して、じぶんが一本くわえ、

「いかがですか。」と一郎に出しました。一郎はびっくりして、

「いいえ。」と言いましたら、山ねこはおおようにわらって、

「ふふん、まだお若いから、」と言いながら、マッチをしゅっと擦って、わざと顔をしかめて、青いけむりをふうと吐きました。山ねこの馬車別当は、気を付けの姿勢で、しゃんと立っていましたが、いかにも、たばこのほしいのをむりにこらえているらしく、なみだをぼろぼろこぼしました。

そのとき、一郎は、足もとでパチパチ塩のはぜるような、音をききました。びっくりして屈んで見ますと、草のなかに、あっちにもこっちにも、黄金いろの円いものが、ぴかぴ

かひかっているのでした。よくみると、みんなそれは赤いずぼんをはいたどんぐりで、もうその数ときたら、三百でも利かないようでした。わあわあわあわあ、みんななにか云っているのです。

「あ、来たな。蟻のようにやってくる。おい、さあ、早くベルを鳴らせ。今日はそこが日当りがいいから、そこのとこの草を刈れ。」やまねこは巻たばこを投げすてて、大いそぎで馬車別当にいいつけました。馬車別当もたいへんあわてて、腰から大きな鎌をとりだして、ざっくざっくと、やまねこの前のとこの草を刈りました。そこへ四方の草のなかから、どんぐりどもが、ぎらぎらひかって、飛び出して、わあわあわあわあ言いました。

馬車別当が、こんどは鈴をがらんがらんがらんがらんと振りました。音はかやの森に、がらんがらんがらんがらんとひびき、黄金のどんぐりどもは、すこししずかになりました。見ると山ねこは、もういつか、黒い長い繻子の服を着て、勿体らしく、どんぐりどもの前にすわっていました。まるで奈良のだいぶつさまにさんけいするみんなの絵のようだと一郎はおもいました。別当がこんどは、革鞭を二三べん、ひゅうぱちっ、ひゅう、ぱちっと鳴らしました。

空が青くすみわたり、どんぐりはぴかぴかしてじつにきれいでした。

「裁判ももう今日で三日目だぞ、いい加減になかなおりをしたらどうだ。」山ねこが、すこし心配そうに、それでもむりに威張って言いますと、どんぐりどもは口々に叫びました。

「いえいえ、だめです、なんといったって頭のとがってるのがいちばんえらいんです。そしてわたしがいちばんとがっています。」

「いいえ、ちがいます。まるいのがえらいのです。いちばんまるいのはわたしです。」

「大きなことだよ。大きなのがいちばんえらいんだよ。わたしがいちばん大きいからわたしがえらいんだよ。」

「そうでないよ。わたしのほうがよほど大きいと、きのうも判事さんがおっしゃったじゃないか。」

「だめだい、そんなこと。せいの高いのだよ。せいの高いことなんだよ。」

「押しっこのえらいひとだよ。押しっこをしてきめるんだよ。」もうみんな、がやがやがやがや言って、なにがなんだか、まるで蜂の巣をつっついたようで、わけがわからなくなりました。そこでやまねこが叫びました。

「やかましい。ここをなんとこころえる。しずまれ、しずまれ。」

別当がむちをひゅうぱちっとならしましたのでどんぐりどもは、やっとしずまりました。やまねこは、ぴんとひげをひねって言いました。

「裁判ももうきょうで三日目だぞ。いい加減に仲なおりしたらどうだ。」

すると、もうどんぐりどもが、くちぐちに云いました。

「いえいえ、だめです。なんといったって、頭のとがっているのがいちばんえらいのです。」

「いいえ、ちがいます。まるいのがえらいのです。」

「そうでないよ。大きなことだよ。」がやがやがやがやがや、もうなにがなんだかわからなくなりました。山猫が叫びました。

「だまれ、やかましい。ここをなんと心得る。しずまれしずまれ。」

別当が、むちをひゅうぱちっと鳴らしました。山猫がひげをぴんとひねって言いました。

「裁判ももうきょうで三日目だぞ。いい加減になかなおりをしたらどうだ。」

「いえ、いえ、だめです。あたまのとがったものが……。」がやがやがやがや。

山ねこが叫びました。

「やかましい。ここをなんとこころえる。しずまれ、しずまれ。」

別当が、むちをひゅうぱちっと鳴らし、どんぐりはみんなしずまりました。山猫が一郎にそっと申しました。

「このとおりです。どうしたらいいでしょう。」

一郎はわらってこたえました。

「そんなら、こう言いわたしたらいいでしょう。このなかでいちばんばかで、めちゃくちゃで、まるでなっていないようなのが、いちばんえらいとね。ぼくお説教できいたんです。」

山猫はなるほどというふうにうなずいて、それからいかにも気取って、繻子のきものの胸を開いて、黄いろの陣羽織をちょっと出してどんぐりどもに申しわたしました。

「よろしい。しずかにしろ。申しわたしだ。このなかで、いちばんえらくなくて、ばかで、めちゃくちゃで、てんでなっていなくて、あたまのつぶれたようなやつが、いちばんえらいのだ。」

どんぐりは、しいんとしてしまいました。それはそれはしいんとして、堅まってしまいました。

そこで山猫は、黒い繻子の服をぬいで、額の汗をぬぐいながら、一郎の手をとりました。別当も大よろこびで、五六ぺん、鞭をひゅうぱちっ、ひゅうぱちっ、ひゅうひゅうぱちっと鳴らしました。やまねこが言いました。

「どうもありがとうございました。これほどのひどい裁判を、まるで一分半でかたづけてくださいました。どうかこれからわたしの裁判所の、名誉判事になってください。これからも、葉書が行ったら、どうか来てくださいませんか。そのたびにお礼はいたします。」

「承知しました。お礼なんかいりませんよ。」

「いいえ、お礼はどうかとってください。わたしのじんかくにかかわりますから。そしてこれからは、葉書にかねた一郎どのと書いて、こちらを裁判所としますが、ようございますか。」

一郎が「ええ、かまいません。」と申しますと、やまねこはまだなにか言いたそうに、しばらくひげをひねって、眼をぱちぱちさせていましたが、とうとう決心したらしく言い出しました。

「それから、はがきの文句ですが、これからは、用事これありに付き、明日出頭すべしと書いてどうでしょう。」

一郎はわらって言いました。

「さあ、なんだか変ですね。そいつだけはやめた方がいいでしょう。」

山猫は、どうも言いようがまずかった、いかにも残念だというふうに、しばらくひげをひねったまま、下を向いていましたが、やっとあきらめて言いました。

「それでは、文句はいままでのとおりにしましょう。そこで今日のお礼ですが、あなたは黄金のどんぐり一升と、塩鮭のあたまと、どっちをおすきですか。」

「黄金のどんぐりがすきです。」

山猫は、鮭の頭でなくて、まあよかったというように、口早に馬車別当に云いました。

「どんぐりを一升早くもってこい。一升にたりなかったら、めっきのどんぐりもまぜてこい。はやく。」

別当は、さっきのどんぐりをますに入れて、はかって叫びました。

「ちょうど一升あります。」

山ねこの陣羽織が風にばたばた鳴りました。そこで山ねこは、大きく延びあがって、めをつぶって、半分あくびをしながら言いました。

「よし、はやく馬車のしたくをしろ。」白い大きなきのこでこしらえた馬車が、ひっぱりだされました。そしてなんだかねずみいろの、おかしな形の馬がついています。

「さあ、おうちへお送りいたしましょう。」山猫が言いました。二人は馬車にのり別当は、どんぐりのますを馬車のなかに入れました。

ひゅう、ぱちっ。

馬車は草地をはなれました。木や藪がけむりのようにぐらぐらゆれました。一郎は黄金のどんぐりを見、やまねこはとぼけたかおつきで、遠くをみていました。

馬車が進むにしたがって、どんぐりはだんだん光がうすくなって、まもなく馬車がとまったときは、あたりまえの茶いろのどんぐりに変っていました。そして、山ねこの黄いろな陣羽織も、別当も、きのこの馬車も、一度に見えなくなって、一郎はじぶんのうちの前に、どんぐりを入れたますを持って立っていました。

それからあと、山ねこ拝というはがきは、もうきませんでした。やっぱり、出頭すべしと書いてもいいと言えばよかったと、一郎はときどき思うのです。


宮沢賢治（みやざわ・けんじ）　1896（明治29）年8月27日〜1933（昭和8）年9月21日。岩手県の質・古着商の長男として生まれる。花巻農学校の教諭として働く傍ら詩や童話を創作。心象スケッチと称した幻想的な世界観を確立し、日本を代表する児童文学作家・詩人となる。代表作『春と修羅』『銀河鉄道の夜』など。

猫

萩原朔太郎

まつくろけの猫が二疋、
なやましいよるの家根のうへで、
ぴんとたてた尻尾のさきから、
糸のやうなみかづきがかすんでゐる。
『おわあ、こんばんは』
『おわあ、こんばんは』
『おぎやあ、おぎやあ、おぎやあ』
『おわああ、ここの家の主人は病気です』

萩原朔太郎（はぎわら・さくたろう）　1886（明治19）年11月1日〜1942（昭和17）年5月11日。群馬県の開業医の長男として出生。音楽家を目指すが、父の反対をうけ慶應義塾大学部予科に入学。室生犀星・山村暮鳥と「人魚詩社」を設立、口語象徴詩・叙情詩の新領域を切り開く。代表作『青猫』『月に吠える』など。

どら猫観察記

柳田國男

一

瑞西に住む友人の家では、或日語学の教師の老婦人が、変な泣顔をして遣って来たそうである。市の蓄犬税が三割とか、引上げられるという際であった。私たちの生活では、とても今度のような税は払うことが出来ません。是迄は無理をして育てて居たけれども、もう仕方が無いから今朝役所へ連れて行きましたと謂って、又大いに涙をこぼしたそうである。

役所というのは犬殺し局のことであった。税を払わぬ犬は東京などとは違って、一匹だって存在し得る余地が無いのである。仮に殺さぬことにしたならば街頭に沢山、餓死した犬を見掛けねばならぬ。野ら犬という言葉がもう一寸説明の六つかしい迄に、犬の文明も進んで居るのであるが、それにしてはジュネェブなどには、町で見かける犬の数が多かった。

一人者が犬を飼って居る例が多い。犬と話をして居る老人などをよく見ることがあった。五階三階の窓から顔を出して、吠えもせずに通行人を眺めて居る犬を、幾らも見るような社会であった。雨の晴間などに大急ぎで、犬の為に散歩をして遣るという実状である。たまたま一人で外出した時などは、まごまごとして入口で待って居るのが、殊にふびんに思われると謂って居る。旅行や病気の際には、飼犬を預けて置く下宿屋のようなものもあるが、物入りでもあり且つ心もと無いから、成るだけ旅はせぬようにして居る。

そんなら猫はどうであるかと気をつけて見ると、先ず第一に蓄猫税は無い。それだのに人に飼われて居る数が、著しく犬よりも少ないように思われた。日本でも既に認められる如く、犬は人の家来であるが、猫の方は本当の家畜である。住宅の附属物である。鍵をかけて出入をするようになれば、猫だけを残して家を空けることは困難である。そうして鼠を駆除するには他にも方法が新たに備わった。一般に人間は猫を疎遠にする傾向を示して居る。

女三の宮や命婦のおもとの有名な逸話は、程なく解し難い昔語りになって行くかも知れぬ。我々の国でも猫を可愛がり過ぎると、鼠を捕らぬようになるからと称して、あわびの殻の日を重ねて空虚であることを、念頭に置かぬような主人も多くなった。市中には鳶や鳥の来訪が絶無となり、轢き潰された鼠の久しく横たわって居るのを見ても、猫の食物の自由にして又豊富なることは想像せられる。猫は我々の愛護なくして、幾らでも生存し得るのである。人と猫との間柄の次第に睽離して行くのは当然である。

二

ヴェネチヤの水の都で、ダニエリの旅館に久しく遊んで居た頃、番頭が何処かのおばあさんに話して居るのを聴くと、此宿の地下室はどら猫の多く居るので有名だそうである。妙な事を看板にしたもので、ホテルで呉れる小冊子にも、此事が興味多く記してある。御希望ならば御案内をしますとも書いて居る。ヴェネチヤの穴倉ならば、大抵どの位湿気て居るかも想像し得られるが、その暗い処に何十代以来とも知らず、野獣の如き猫が棲息して、其数幾何なるかも分らぬという。しかも給仕人の話に依れば、毎日一定の食物を口元の処に置いて遣るのだそうで、丸々の野ら猫でも無いが、兎に角にもう家畜のうちでは無い。

私は此話を聴いたとき、日本の客商売の家に、招き猫と称して座蒲団の上などに、猫の土偶を置く風習を考え出しておかしかった。物々しいダニエリの広告ぶりは、いつ頃から始まったか知らぬが、古くあるホテルで穴倉の中に、猫の居ないものが果して幾らあろうか。食物ばかりは其辺に散らばって、誰も可愛がって呉れる者が無ければ、結局は地下室にでも入って匿れて繁殖をするより他は無い。主人を恨み世をはかなんで、山林に遁世しようという祇王祇女の如き猫が、有ろう道理は無いからである。

冬も暖かな羅馬の古都などは、風来人の自然の隠れ家であるのみならず、同時に又宿無し猫の楽土でもあった。此事はもう誰かの紀行に書いてあるかも知れぬが、フォラムを始めとして市に接した大小の廃址は、悉く彼等の領分であって、倒れ横たわる聖火神殿の石柱の上にも、新たに掘り出された旧王の塚穴の中にも、いつ往っても人を見て跳り逃げる彼等の姿を、見ない日は無いのである。カピトルの岡の北の麓、今の朝家の第一世帝の記念塔の傍に、壮大な残骸を留めたトラジャン館址の如きは、周囲が高い石壁で攀じ降ることが難い為に、数十の野ら猫が常に悠々として遊んで居る。蛙とか蜥蜴とかいうものを食料として居るのだろう。何れも人間からは独立して、自在に新たなる社会を作りつつあるように見える。行く行く此種族の共同生活が、伊太利の特殊の環境に促されて、如何様に展開して行くものであろうか。後年或はこの問題の興味の為のみに、所謂久遠の都府を訪い来る者が無いとは言われぬ。

三

猫と人間との最初の交渉、はたこの動物の分布の経路等に関しては、今尚闡明せられざる歴史の隈が多い。それにも拘らず再び彼等の眼から見れば、奈何ともする能わざる偶然の原因に基づいて、その文化が激変をしようとして居る。しかも其原因が許多の海山を隔てて、世界到る処のこの種族のすべての者に、共通であるということは考えさせられる。

東京に帰って見ると自分の家などにも、やはり依然として昔ながらの野ら猫の一家庭が、自分の家庭と併存して続いて居た。白勝ちの赤毛の斑で、顔の至って平めなのが特徴であったが、今以てぶちの在り処まで略々同じ猫が、次から次へと代を重ねて居る。宅の大きい娘が生まれるよりも更に以前から、多分はこの邸内より外へ移住したことが無かろう。始めてこの縁の下に来て住むようになった初代の牝猫にも、幽かな見覚えがある。何かの心得違いで元の飼主から、分れて来た者に相違なかった。それが年増しに気が荒くなって、横着な面をして見向きもせずに、庭前を過ぎ去るようになった。其癖我々が見て居る限り、寸分も油断をして居るのでは無かった。そうして食物の安全なる求め方に付いては、飼猫に数倍する技術をもって居る。

春になるとこの牝猫が、うかれ出て大いに鳴いた。それから暫くすると何処とも知れず、予猫の小さな鳴き声が聴え、人を避ける母猫の目が一段と険悪に見えた。二匹三匹の愛くるしい小猫が、そちこちに姿を見せる間が何箇月かあった。何れもよく似た赤斑ばかりである。気をつけて見ると其中にも、無暗に人を怖れておどおどして居るのと、比較的鷹揚で立留って人を見たり、遠くでならばうずくまって見たり、声を掛けるとニャアと謂ったりするのもあった。宅の両親が非凡な猫嫌いで無かったなら、徐々に懐柔して再び家の飼猫に、引上げ得る見込の確かにあるのも居た。

それ等が悉くすぐに大きくなって、手の付けられぬ泥棒猫になってしまい、そうして又次の子を育てるのである。余り毛色がよく似て居る為に、世代を算えて置くことは不可能であったが、どう考えてももう十何世の後裔にはなって居る。それが不思議なことにはさして老猫の数が増しもせず、又どうして終りを取るかも知ることが出来ぬ。併し子猫は勿論のこと、成長したのでも一見して凡そ年齢は知れるが、いつも若い猫ばかり多いのは、多分は家に飼われるものよりも、寿命が遥かに短いからであろう。

それで居て主人が無い為に、非常に呑気で且つ閑が多そうに見えた。硝子戸の中から見て居ると、一日に何度という数も知れず庭前を往来する。僅かな樹の枝や草の葉に近よって、独りでじゃれて見たりして居る。人が居ないと昼寝は縁に上ってするのみならず、時々はそろりと座敷にも入って来る。此方から声をかけるとすぐ隠れる癖に、雨の降る日などはやはり淋しいものか、何度でもやって来て唐紙があいて居れば中を覗き、人を見るときっと鳴くのは、虎属の獣のようでも無かった。

又一匹だけ大きくなって迄、妙に気の善い馴々しいのが居た。家の子供がタマと名を附けて食物を与え、庭に出ると来て抱かれる程に親しんで居た。是だけは或は別系統のまぐれ者かとも思って見たが、毛色の赤斑がよく似て居た処を見ると、やはり遺伝に色々の変化があっただけで、この一門のうちには相違なかった。そうしてそれも後には亦疎遠になり、他の同類と区別がしにくくなった。

四

猫が人間から離反しようとする傾向は、実は夙くより見えて居たのであった。大体に於て両者を結合する縁の糸は、牛馬鶏犬の如く強靱なものではなかった。人の方でもあの眼に油断せず、十分に心を許さなかったのである。メエテルリンクの「青い鳥」にもあるように、何かと言えば恨み憤り、復讐でも考えて居るのでは無いかと、疑ってよいような挙動さえあった。しかも利己一遍の人類に向って、彼等の奉仕といえば鼠狩より他は無かったが、それすらも頼めば却って怠るかの如き様子が見えた。

第一に猫の終りというものが、いつの場合にも我々の知解の外に在った。犬には無いことだが猫を置くときだけは、最初から年限を言い渡してやるがよいと謂った。そうすれば時満ちて何処へか往ってしまうのである。そんな風だから老猫は化けると伝え、又阿蘇の猫嶽の如く、深山に彼等の集合地があるものと信ずる人もあった。祖母から曾て聴いた話に、信州で或人が久しく煩って居ると、始終病床の周りに猫が来て離れない。実にいやな猫だ。気味の悪い猫だ。早くよくなったら棄ててしまおうと、口癖のように謂って居た。それがいよいよ全快して其猫を風呂敷に包み、是から棄てて来ると家を出て行ったが、それっきり当人もとうとう還って来なかったという。

猫が物を言ったという話も多い。是も祖母から聴いたのだが、同じ山国で春に入ると、門の通りをゴマメ売りが振れてあるく。或日静かにして居ると障子の外で、ゴマメゴマメと謂う声がするが、商人の表を呼ぶ声よりも小さく又低いので、不思議に思って障子をあけて見ると、街道は森閑として只縁側に猫が居るだけであった。多分ゴマメ売りが来る毎にゴマメを貰うので、其声を覚えて居て真似て見たのであろうという。

新著聞集の中にも幾つか猫の人語した話を載せて居る。鼠を追掛けて居て梁を踏みはずし、畳の上へ落ちたときに、南無三宝と謂ったというのは、古風なる猫言葉であった。又和尚が風邪を引いて寝て居ると、夜更に次の間に来て声を掛ける者がある。すると蒲団の裾の方に居た猫が、そっと起き出して外に行き、今夜は方丈様が病気だから、一緒に出かけることはむつかしいとささやいた。之を寝たふりして聴いて居た住持が、翌朝静かに其猫に向って、私には構わずに行きたい処へは行くがよいと言うと、ふいと出て往った儘それきり帰って来なかった。

或は時々手拭が紛失するので気をつけて居ると、猫がそっと口にくわえて出て行くのを見た。驚いて大声を出したら、それきり飛出して戻って来なかったとも謂う。猫をして言わしむれば、踊る位なら人間の真似をして、手拭なんか被るものかと云うだろう。しかも勝手に捕えて来て家畜の中に加えて置きながら、いや尻尾がやがて二つに裂けるだろうの、尻尾の長いのは怪しいのと、常に隔意を以て彼等を遇する故に、結局離背してしかも遠くへは立退かず、人間の周囲に止まって小さい脅威を与えることは、昔駆役せられた奴隷が成長して、次第に白人社会の難問題を為す北米の話と、幾分か事情が似て居る。

五

我々の中には又三毛猫の雄猫という問題がある。単に稀有なる故に珍重するという以外、いつの世から言い始めたことだろうか、海上風波の場合に之を龍神に捧げると難破の厄を免かるべしと称して、高金を払っても船頭が之を求めた。猫を犠牲に供した昔話の例は、他民族にも折々聞くことであるが、それがもし最初山奥から、此動物を連れて来た動機であったら、化けるも不思議に非ず、背くも亦自然である。つまりは人間と猫との取引はもう結了して、今は只古来の行懸りだけが、若干の未解決を残存せしめて居るのである。

尻尾の無い猫ということは、是も日本の文化史に於て、相応に重要なる一史蹟であるかと思う。それが猿などの如く天然にそうあるのか、はた又当節のハクニーや或る類の狗の如く、人の趣味から所謂改良をしたものか、動物学者の説を確めねばならぬが、自分などは先ず後の方だと思う。人為の性質でも代を重ねるうちに、固定し遺伝する旁例は人類が最も多く持って居る。耳たぶに穴のある人は我々の中にも多い。日本人が耳環を中止してから、少なくとも千年は経て居るのに其痕跡だけは伝わったのである。外国人の珍しがる話としては、日本の猫には尾が無いということだ。有っても無くてもよいという譬に、猫の尻尾の諺があると聴いて、舌を巻かなかった白人は稀なのである。それを聴いて又我々は愕然とする。大いに考えて見るべき問題では無かろうか。

私の長話も実はこの猫の尻尾だ。有っても無くてもよい様にもあるし、又有る方が当然のようでもある。我々の先祖とても人間である以上は、趣意の無いことはせず又言わぬ筈である。而うして猫を斯ういう尾無しの三毛猫などにしてから、再び荒野らに放つに至った本意や如何。果して誤解も手前勝手も無く、且つ先見の明を以て猫の幸福まで考えて居たのかどうか。忙しい紳士たちは、恐らく永久に此問題には無識であろう。

「太陽」の記者の浜田徳太郎君は、自分の知る限りに於て第一流の猫学者である。同君研究の発足点は、猫自身の心理からであるというが、果して今猫の国の文化の未来に就いて、楽悲何れの観想を抱いて居られるか。此序を以て教を請いたいものである。差当り自分の疑問として居る点はもう述べ尽したと思うが、最後に尚一つ附添えたいのは、日本の各地方の方言の不可解なる変化と一致とである。猫をヨモという県があり狐をヨモという県がある。鼠を「嫁が君」というのも、或はヨモの転訛かも知れぬ。雀をヨム鳥という処もある。南の方の島々、殊に沖縄に於てはヨーモと謂えば猿である。言葉の感じは何れも霊物又は魔物というに在るらしいが確かで無い。そうして琉球にはもうそのヨーモ猿は居ないのである。

柳田國男（やなぎだ・くにお）　1875（明治8）年7月31日～1962（昭和37）年8月8日。東京帝国大学法科大学政治科卒業後、農商務省、貴族院書記官長に就任。一時期は叙情派詩人として知られたが、30代半ばごろから日本全国を巡り、風習・伝承をまとめた日本民俗学を確立する。代表作『遠野物語』など。

愛撫

梶井基次郎

猫の耳というものはまことに可笑しなものである。薄べったくて、冷たくて、竹の子の皮のように、表には絨毛が生えていて、裏はピカピカしている。硬いような、柔らかいような、なんともいえない一種特別の物質である。私は子供のときから、猫の耳というと、一度「切符切り」でパチンとやってみたくて堪らなかった。これは残酷な空想だろうか?否。まったく猫の耳の持っている一種不可思議な示唆力によるのである。私は、家へ来たある謹厳な客が、膝へあがって来た仔猫の耳を、話をしながら、しきりに抓《つね》っていた光景を忘れることができない。

このような疑惑は思いの外に執念深いものである。「切符切り」でパチンとやるというような、児戯に類した空想も、思い切って行為に移さない限り、われわれのアンニュイのなかに、外観上の年齢を遥かにながく生き延びる。とっくに分別のできた大人が、今もなお熱心に——厚紙でサンドウィッチのように挾んだうえから一思いに切ってみたら?——こんなことを考えているのである！　ところが、最近、ふとしたことから、この空想の致命的な誤算が曝露してしまった。

元来、猫は兎のように耳で吊り下げられても、そう痛がらない。引っ張るということに対しては、猫の耳は奇妙な構造を持っている。というのは、一度引っ張られて破れたような痕跡が、どの猫の耳にもあるのである。その破れた箇所には、また巧妙な補片が当っていて、まったくそれは、創造説を信じる人にとっても進化論を信じる人にとっても、不可思議な、滑稽な耳たるを失わない。そしてその補片が、耳を引っ張られるときの緩めになるにちがいないのである。そんなわけで、耳を引っ張られることに関しては、猫はいたって平気だ。それでは、圧迫に対してはどうかというと、これも指でつまむくらいでは、いくら強くしても痛がらない。さきほどの客のように抓って見たところで、ごく稀にしか悲鳴を発しないのである。こんなところから、猫の耳は不死身のような疑いを受け、ひいては「切符切り」の危険にも曝されるのであるが、ある日、私は猫と遊んでいる最中に、とうとうその耳を噛んでしまったのである。これが私の発見だったのである。噛まれるや否や、その下らない奴は、直ちに悲鳴をあげた。私の古い空想はその場で壊れてしまった。猫は耳を噛まれるのが一番痛いのである。悲鳴は最も微かなところからはじまる。だんだん強くするほど、だんだん強く鳴く。Crescendoのうまく出る——なんだか木管楽器のような気がする。

私のながらくの空想は、かくの如くにして消えてしまった。しかしこういうことにはきりがないと見える。この頃、私はまた別なことを空想しはじめている。

それは、猫の爪をみんな切ってしまうのである。猫はどうなるだろう？　おそらく彼は死んでしまうのではなかろうか？

いつものように、彼は木登りをしようとする。——できない。人の裾を目がけて跳びかかる。——異う。爪を研ごうとする。——なんにもない。おそらく彼はこんなことを何度もやってみるにちがいない。そのたびにだんだん今の自分が昔の自分と異うことに気がついてゆく。彼はだんだん自信を失ってゆく。もはや自分がある「高さ」にいるということにさえブルブル慄えずにはいられない。「落下」から常に自分を守ってくれていた爪がもはやないからである。彼はよたよたと歩く別の動物になってしまう。遂にそれさえしなくなる。絶望！　そして絶え間のない恐怖の夢を見ながら、物を食べる元気さえ失せて、遂には——死んでしまう。

爪のない猫！　こんな、便りない、哀れな心持のものがあろうか！　空想を失ってしまった詩人、早発性一痴呆に陥った天才にも似ている！

　この空想はいつも私を悲しくする。その全き悲しみのために、この結末の妥当であるかどうかということさえ、私にとっては問題ではなくなってしまう。しかし、はたして、爪を抜かれた猫はどうなるのだろう。眼を抜かれても、髭を抜かれても猫は生きているにちがいない。しかし、柔らかい蹠の、鞘のなかに隠された、鉤のように曲った、匕首のように鋭い爪！　これがこの動物の活力であり、智慧であり、精霊であり、一切であることを私は信じて疑わないのである。

　ある日私は奇妙な夢を見た。

X——という女の人の私室である。この女の人は平常可愛い猫を飼っていて、私が行くと、抱いていた胸から、いつもそいつを放して寄来すのであるが、いつも私はそれに辟易するのである。抱きあげて見ると、その仔猫には、いつも微かな香料の匂いがしている。

　夢のなかの彼女は、鏡の前で化粧していた。私は新聞かなにかを見ながら、ちらちらその方を眺めていたのであるが、アッと驚きの小さな声をあげた。彼女は、なんと！　猫の手で顔へ白粉を塗っているのである。私はゾッとした。しかし、なおよく見ていると、それは一種の化粧道具で、ただそれを猫と同じように使っているんだということがわかった。

しかしあまりそれが不思議なので、私はうしろから尋ねずにはいられなかった。

「それなんです？　顔をコスっているもの？」

「これ？」

夫人は微笑とともに振り向いた。そしてそれを私の方へ抛って寄来した。取りあげて見ると、やはり猫の手なのである。

「いったい、これ、どうしたの！」

訊きながら私は、今日はいつもの仔猫がいないことや、その前足がどうやらその猫ののらしいことを、閃光のように了解した。

「わかっているじゃないの。これはミュルの前足よ」

彼女の答えは平然としていた。そして、この頃外国でこんなのが流行るというので、ミュルで作って見たのだというのである。あなたが作ったのかと、内心私は彼女の残酷さに舌を巻きながら尋ねて見ると、それは大学の医科の小使が作ってくれたというのである。私は医科の小使というものが、解剖のあとの死体の首を土に埋めて置いて髑髏を作り、学生と秘密の取引をするということを聞いていたので、非常に嫌な気になった。何もそんな奴に頼まなくたっていいじゃないか。そして女というものの、そんなことにかけての、無神経さや残酷さを、今更のように憎み出した。しかしそれが外国で流行っているということについては、自分もなにかそんなことを、婦人雑誌か新聞かで読んでいたような気がした。

——

猫の手の化粧道具！　私は猫の前足を引っ張って来て、いつも独り笑いをしながら、その毛並を撫でてやる。彼が顔を洗う前足の横側には、毛脚の短い絨氈のような毛が密生していて、なるほど人間の化粧道具にもなりそうなのである。しかし私にはそれが何の役に立とう？　私はゴロッと仰向きに寝転んで、猫を顔の上へあげて来る。二本の前足を掴んで来て、柔らかいその蹠を、一つずつ私の眼蓋にあてがう。快い猫の重量。温かいその蹠。私の疲れた眼球には、しみじみとした、この世のものでない休息が伝わって来る。

仔猫よ！　後生だから、しばらく踏み外さないでいろよ。お前はすぐ爪を立てるのだから。

梶井基次郎（かじい・もとじろう）　１９０１（明治34）年2月17日〜１９３２（昭和7）年3月24日。大阪府に生まれる。東京帝国大学英文学科に入学し、精力的に創作作活動を行うが肺結核が悪化し中退。静養先の伊豆湯ヶ島で川端康成らと懇意となり、散文詩的短編が称賛を受けるも31歳で夭折する。代表作『檸檬』など。

ねこ

ダマツテ居レバ名ヲ呼ブシ
近寄ツテ行ケバ逃ゲ去ルノダ
——かるめん

太宰治

空の蒼く晴れた日ならばねこはどこからやつて来て庭の山茶花の下で居眠りしてゐる。洋画をかいてゐる友人はペルシヤでないかと私にたづねた。私はすてねこだらうと言うて置いた。

ねこは誰にもなつかなかつた。

けさ私があさげの鰯を焼いてゐたら庭のねこがものうげに泣いた。私も縁側に出てにやあと答へた。

ねこは起きあがつて私の方へあるいて来た。私は鰯を一匹なげてやつた。ねこは逃げ腰をつかひながらもたべたのだ。私の胸は浪うつた。わが恋は容れられたり。私は庭へおりた。

せなかのしろい毛に触れるやねこは私の小指の腹を骨までかりりと噛み裂いた。

太宰治（だざい・おさむ）　1909（明治42）年6月19日〜1948（昭和23）年6月13日。青森県の大地主の六男として生まれる。東京帝国大学文学部仏文学科に入学後、井伏鱒二に弟子入り。反俗、反秩序を掲げる作風で、無頼派の代表的作家となる。38歳、入水自殺にて死去。代表先は『斜陽』『人間失格』など。

猫

高村光太郎

そんなに鼠が食べたいか
黒い猫のせちよ
どんな貴婦人でも持たない様な贅沢な毛皮を着て
一晩中
塵とほこりの屋根裏に
じつと息をこらしてお前は居る
生きたものをつかまへるのが
そんなにもうれしいか
そんなにも止みがたいか
ああ、此は何だ
此は何だ

黒い猫のせちよ
お前はそれで美しい
かぎりなく美しい
だが私の心にのこる恐ろしい此は何だ

高村光太郎（たかむら・こうたろう）　1883（明治16）年3月13日〜1956（昭和31）年4月2日。彫刻家・高村光雲の長男として東京に生まれる。彫刻、美術を学ぶための欧米留学の最中、ボードレール、ヴェルレーヌの詩を学び、彫刻家と詩人の双方で活躍。耽美派詩人として知られる。代表作は『智恵子抄』『道程』など。

月から

新美南吉

月からきたねこ、
屋根にゐる。
屋根からしつぽをおつたてる。

月からきたとり、
うろにゐる。
うろからそちこちどなつてる。

月から来た人、
柵にゐる。
柵からナイフをぬいてゐる。

新美南吉(にいみ・なんきち)　1913(大正2)年7月30日～1943(昭和18)年3月22日。愛知県出身。半田第二尋常小学校の代用教員として働きながら『赤い鳥』に投稿を続け、北原白秋に師事。心理描写に長け、子どもや動物などを主人公とした童話や詩が人気を得る。代表作は『ごん狐』『手袋を買いに』など。

泣いてゐるお猫さん

村山籌子

1

ある所にちよつと、慾ばりなお猫さんがありました。ある朝、新聞を見ますと、写真屋さんの広告が出てゐました。

「写真屋さんをはじめます。今日写しにいらしつた方の中で、一番よくうつつた方のは新聞にのせて、ごほうびに一円五十銭差し上げます。」

お猫さんは鏡を見ました。そして身体《からだ》中の毛をこすつてピカピカに光らしました。そして、お隣のあひるさんの所へ行きました。

2

「あひるさん、今日は。すみませんけど、リボンを貸して下さいな。」と言ひました。あひるさんは、リボンを貸してくれて、

「お猫さん、どうか、なくなさないでね。」と言ひました。お猫さんは、それを頭のてつぺんにむすんで、写真屋さんへでかけました。歩いてゐるうちに、

「早く行かないと、お客さんが一杯つめかけて来て、うつしてもらへないかも分らない。」と思ふと、胸がドキドキして歩いてゐられません。といつて、猫の町には円タクはなし、仕方がないので、大いそぎでかけ出しました。

3

写真屋さんへ来ました。お猫さんはもう一度鏡の前で、身体《からだ》をコスリ直しました。そして、頭を見ましたら、リボンがありません。あんまり走つたので、落してしまつたのです。

「さあ、うつりますよ。笑つて下さい。」と、写真屋の犬さんが言ひましたけれども、リボンのことを考へると、笑ひどころではありません。今にも泣きさうな顔をしました。

4

写真をうつしてしまふと、お猫さんはトボトボとお家《うち》へ帰つて来て、鏡を見ました。涙がホツペタを流れて、顔中の毛がグシヤグシヤになつてゐました。

「これぢやあ、一等どころかビリツコだ。」と思ふと、又もや涙が流れて出ました。

「あひるさんのリボンを買つてかへすにもお金はなし……」と思ふと、又もや涙が流れ出ました。ところが、あくる日、おそる〱新聞を見ますと、

「泣いてゐるお猫さん。一等」と大きな活字で書いてありました。お猫さんはとびあがる程よろこびました。そして写真屋さんへ行つて一円五十銭もらひました。

5

お猫さんはそれを大切にお財布に入れて、あひるさんの所へ行きました。行きながら、

「リボン代をこのお金で払ふことにしやう。まあ、せいぜい五十銭位なものだから、一円はのこる。」と思ひました。

6

お猫さんはあひるさんに言ひました。「どうか、リボンのお値段を言つて下さい。遠慮なくほんとの所を。」と言ひました。あひるさんは言ひました。ほんとの所を。「ほんとの所はあれは一円五十銭なんですの。」

お猫さんはぼんやりしてしまひました。けれども仕方ありません。一円五十銭あひるさんに払ひました。お猫さんのお財布の中には幾銭のこつてゐますか？　皆さん、計算してください。

村山籌子（むらやま・かずこ）　1903（明治36）年11月7日〜1946（昭和21）年8月4日。香川県出身。婦人之友社に入社。雑誌『子供之友』の編集に携わる傍ら、童謡・童話を発表。動物や野菜を主人公としたユーモアあふれる童話を数多く残す。代表作は『きりぎりすのかひもの』『3びきのこぐまさん』など。

主な参考文献

『硝子戸の中』夏目漱石（岩波書店）／『漱石の思い出』夏目鏡子術・松岡譲筆録（文藝春秋）／『吾輩は猫である』夏目漱石（角川書店）／『人と作品　夏目漱石』福田清人編・網野義紘著（清水書院）／『谷崎潤一郎全集第23巻』谷崎潤一郎（東京中央公論新社）／『猫と正造と二人のおんな』谷崎潤一郎（新潮社）／『人と作品　谷崎潤一郎』福田清人編・平山城児著（清水書院）／『ノラや』内田百閒作（筑摩書房）／『贋作吾輩は猫である』内田百閒（筑摩書房）／『室生犀星詩集』室生犀星（岩波書店）／『猫のうた』室生朝子（PHP研究所）／『うち猫そと猫』室生朝子（立風書房）／『小僧の神様・城の崎にて』志賀直哉（新潮社）／『田園の憂鬱』佐藤春夫（学研プラス）／『猫のいる日々』大佛次郎（徳間書店）／『ヰタ　マキニカリスⅠ』『ヰタ　マキニカリスⅡ』稲垣足穂（河出書房新社）／『タルホと多留保』稲垣足穂・稲垣志代（沖積舎）／『幸田文どうぶつ帖』幸田文著・青木玉編（平凡社）／『モモちゃんとあかね』椋鳩十（ポプラ社）／『動物ども』椋鳩十（ほるぷ出版）／『末っ子物語』尾崎一雄（偕成社）／『暢気眼鏡』尾崎一雄（新潮社）／『家と庭と犬とねこ』石井桃子（河出書房新社）／『山のトムさん　ほか一編』石井桃子（福音館書店）／『迷子の天使』石井桃子（福音館書店）／『悪酒の時代　猫のことなど－梅崎春生随筆集－』（講談社）／『新潮日本文学41梅崎春生集』（新潮社）／『池波正太郎の春夏秋冬』池波正太郎（文芸春秋）／『おおげさはきらい』池波正太郎（講談社）／『鬼平犯科帳3』『鬼平犯科帳6』池波正太郎（文藝春秋）／『剣客商売12 十番斬り』池波正太郎（新潮社）／『剣客商売15 二十番斬り』池波正太郎（新潮社）／『日曜日の万年筆』池波正太郎（新潮社）／『硝子障子のシルエット　葉篇小説集』島尾敏雄（創樹社）／『死の棘』島尾敏雄（新潮社）／『金閣寺』三島由紀夫（新潮社）／『直面（ヒタメン）三島由紀夫　若き日の恋』岩下尚史（文藝春秋）／『白いページ』開高健（光文社）／『開高健全集第8巻』開高健（新潮社）／『猫の文学散歩』熊井明子著（朝日新聞社）／『作家の猫』『作家の猫2』（平凡社）／『文豪の猫』アリソン・ナスタシ：浦谷計子訳（エクスナレッジ）／『猫の文学館Ⅰ』『猫の文学館Ⅱ』和田博文編（筑摩書房）／『猫は神様の贈り物エッセイ編』『猫は神様の贈り物小説編』（実業之日本社）／『新版現代作家辞典』大久保典夫・吉田照生編（東京堂出版）／『猫のはなし』浅田次郎選・日本ペンクラブ編（角川書店）／『猫はふしぎ』今泉忠明（イースト・プレス）／『猫　この愛らしくも不可思議な隣人（ユリイカ詩と批評）』（青土社）／『作家の犬』（平凡社）／『HEMINGEAY65CATS』和田悟（小学館）／『海流の中の島々』ヘミングウェイ：沼澤こう治訳（新潮社）／『ヘミングウェー短編集1われらびの時代に』アーネスト・ヘミングウェイ：高村勝治訳（グーテンベルク21）／『黒猫・黄金虫』ポー：佐々木直次郎訳（新潮社）／『人間とは何か』マーク・トウェイン：大久保博訳（角川書店）／『トウェイン完訳コレクション王子と乞食』マーク・トウェイン：大久保博訳（角川書店）／『トウェイン完訳コレクション（サプリメント2）また・ちょっと面白い話』マーク・トウェイン：大久保博編・訳（角川書店）／『牝猫』コレット：工藤庸子訳（岩波書房）／『猫語の教科書』ポール・ギャリコ：灰島かり訳（筑摩書房）／『ジェニィ』ポール・ギャリコ：古沢安二訳（新潮社）／『島暮らしの記録』トーベ・ヤンソン：富原眞弓訳（筑摩書房）／『少女ソフィアの夏』トーベ・ヤンソン：渡部翠訳（講談社）／『たのしいムーミン一家』トーベ・ヤンソン：山室静訳（講談社）／『キャッツ―ポッサムおじさんの猫とつき合う法』T.S.エリオット著：池田雅之訳（筑摩書房）／『人と思想102 T・S・エリオット』徳永暢三著（清水書院）／『荒地』T.S.エリオット：岩崎宗治訳（岩波書店）／『悪の華』ボードレール（集英社）／『コクトー詩集』ジャン・コクトー：堀口大學訳（新潮社）／『ジャン・マレエ』ジャン・コクトー　：田島梢訳（出帆社）／『内なるネコ』ウィリアム・バロウズ：山形浩生訳（河出書房新社）／『ホフマン全集7牡猫ムルの人生観』E・T・A・ホフマン：深田甫訳（創土社）／『黄金の壺/マドモアゼル・ド・スキュデリ』E・T・A・ホフマン：大島かおり訳（光文社）／『猫のパジャマ』レイ・ブラッドベリ：中村融訳（河出書房新社）／『運命の紡ぎ車』モリー・ギレン：宮武潤三・宮武順子訳（篠崎書林）／『可愛いエミリー』モンゴメリ：村岡花子訳（新潮社）／『猫びより2020年3月号』（辰巳出版）

イースト新書Q

Q075

文豪《ぶんごう》の愛《あい》した猫《ねこ》

開発社《かいはつしゃ》　編著

2021年9月20日　初版第1刷発行

執筆協力　浅水美保
イラスト　小野崎理香
発行人　永田和泉
発行所　株式会社イースト・プレス
東京都千代田区神田神保町2-4-7
久月神田ビル　〒101-0051
tel.03-5213-4700　fax.03-5213-4701
https://www.eastpress.co.jp/
ブックデザイン　福田和雄（FUKUDA DESIGN）
印刷所　中央精版印刷株式会社

ISBN978-4-7816-8075-0

イースト新書Q

図解「地形」と「戦術」で見る日本の城　風来堂

城と聞くといわゆる立派な天守を思い浮かべるが、そのような城はほんの一部。日本には天守も高石垣も水堀もない城が、全国各地に数万城も存在していたといわれる。本書では、実戦の舞台となった城から、知られざる名城まで、地形を生かして築かれた57城を厳選。『「土」と「石垣」の城郭』（実業之日本社）などを制作した編集・執筆陣が実際に現地を歩いた経験をふまえ、立体型の縄張図と解説で実戦さながらの攻め・守りのポイントを徹底分析。

たぶん一生使わない？ 異国のことわざ111　時田昌瑞／伊藤ハムスター 絵

ことわざの数だけ世界がある！「マングース殺して後悔（ネパール）」「苦労はお前の、金なら俺の（モンゴル）」「ロバをしっかり繋げ、後はアッラーに任せよ（トルコ）」「ウオトカよ、こんにちは、理性よ、さようなら（ジョージア）」「ワインは年寄りのおっぱい（スイス）」「大きなジャガイモを集めるのが最高（アイルランド）」などなど、ユニークな世界のことわざをイラストとともにご紹介！日本では通じないけれど、あなたも使ってみたくなるかも？

文豪のすごい性癖　開発社

突出した才能を持つ文豪たちは、実に曲者揃いだ。自らの性欲に忠実で多くの愛人を抱える者。借金を繰り返して遊蕩三昧する者。少女性愛などの特殊なフェティシズムを持つ者。酒に溺れて素行不良を繰り返す者。薬物依存症や精神疾患を抱えて死を選ぶ者……。「事実は小説よりも奇なり」とは言い得て妙であり、彼らの人物像に迫れば迫るほど、名作をはるかに凌ぐ物語が見えてくる。彼らの意外な素顔を知ることで、作品への理解が深まるはずだ。